RELEASE

CATALOGNE
ROMANE *

Préface de Jean Ainaud de Lasarte
   Directeur général des Musées d'Art de Barcelone

Texte de Monseigneur Edouard Junyent
   Conservateur du Musée de Vich

Traduit de l'espagnol par Madame C. Bernadi

Photographies inédites de Jean Dieuzaide

CATALOGNE

Traduction allemande de Dom Albert Delfosse osb

Traduction anglaise de Mrs. Pamela Clarke

ROMANE *

2e édition

MCMLXVIII

ZODIAQUE ✝

la nuit des temps

PRÉFACE

ON ne peut comprendre ces deux volumes consacrés à l'art de la Catalogne espa-
gnole qu'en les rattachant au septième de cette collection, intitulé *Roussillon
Roman*, car celui-ci étudiait les contrées de la Catalogne du Nord-Est séparées du
reste du pays à la suite du Traité des Pyrénées en 1659 : Roussillon, Vallespir, Conflent
et moitié de la Cerdagne. L'importance de ces territoires dans l'ensemble de l'art roman
en Catalogne est bien plus grande qu'on pourrait le supposer, en tenant compte seulement de leur étendue au regard des autres. Pour saisir cette vérité, en plus des circonstances naturelles – ainsi le fait que le Roussillon et le Conflent soient chez nous les
seuls endroits où l'on exploite des carrières de marbre –, il faut considérer les faits
historiques, surtout l'existence entre Barcelone et l'Èbre d'une vaste zone frontalière,
dont le domaine, appartenant à tour de rôle aux chrétiens et aux musulmans du IXe
au milieu du XIIe siècle, rendit extrêmement difficile, voire impossible l'existence
des conditions indispensables à l'épanouissement d'une culture stable. Par contre,
les vallées pyrénéennes et la plaine du Roussillon étaient à même de servir de refuge
et possédaient des centres de rayonnement parmi lesquels il faut citer les grands monastères de Gerri, Tavernoles, Ripoll, Cuxà et Sant Pere de Rodes.

La position géographique de la Catalogne et les événements des IXe et Xe siècles
avaient favorisé l'existence d'éléments artistiques d'une grande richesse et d'une extrême
variété : traditions locales romaines et wisigothiques, contacts extérieurs islamiques,
mozarabes, carolingiens, lombards et byzantins. Pendant le XIe siècle, l'art roman,
par de nouveaux apports extérieurs, renouvela et transforma les éléments antérieurs ;
ce fait explique la coexistence de formes très différentes : d'un côté, l'art fonctionnel,
qui révèle des contacts avec l'Italie du Nord, parfois en des édifices de plan basilical
à charpente de bois, mais aussi dans certains cas en des églises bien plus complexes

quoique souvent dépouillées de décor sculpté, et dans de hauts clochers à plusieurs étages – carrés et robustes à Cuxà, Ripoll, Vich, Gérone et Breda, plus svelte à Taüll, Erill la Vall ou Santa Coloma d'Andorre – et d'un autre côté une architecture dans laquelle sont employées de grandes pierres de taille, avec un décor sculpté très riche, qui va des monuments imposants comme Sant Pere de Rodes – consacré en 1022 – pleinement attaché aux traditions préromanes, aux magnifiques cloîtres de Gérone ou Sant Cugat, autour de 1200, sans oublier les écoles pyrénéennes, parmi lesquelles il faut rappeler celles de Besalú et de Ripoll – si attachées à l'art du Conflent. En plein xiiie siècle le somptueux décor sculpté de style roman des cathédrales de Lleida et Tarragone garde le souvenir de l'art de la période antérieure. Par ailleurs, dans certains endroits éloignés qui échappaient au rayonnement des cathédrales ou des grands monastères – par exemple en Cerdagne et surtout au Val d'Aran – subsista pendant longtemps un style local de sculpture archaïsante qui possède une grande force d'expression.

La coïncidence de la dernière période de prospérité de nos grands monastères bénédictins avec l'épanouissement de l'art roman explique la conservation de leurs églises de ce style – sauf celle de Cuxà, préromane bien que complétée par le grand clocher et d'autres annexes. Par contre, deux sièges d'évêché seulement, Elne et La Seu d'Urgell, ont gardé leurs bâtiments romans, bien que Vich conserve toujours son clocher roman et Gérone son clocher et son cloître. Le renouvellement de la période gothique – et de plus, à Vich, la réaction néoclassique – expliquent ces faits.

A côté de l'architecture et de la sculpture en pierre l'on ne peut oublier notre richesse en sculptures en bois, souvent polychromées. La dévotion populaire, bien vivante de nos jours autour des « Magestats » de Caldes et de La Trinitat ou des Vierges de Montserrat, de Nuria, du Tura, de Meritxell ou de Solsona et tant d'autres, aide

7

à faire comprendre la permanence de l'adhésion des catalans à l'art roman, en dépit des variations dans les goûts et modes officiels et surtout des attaques des académiques au XVIIIe siècle.

Les troubles causés par les Albigeois à la fin du XIIe siècle furent la cause de grandes destructions de mobilier en Cerdagne et vraisemblablement aussi dans l'Urgellet. Par contre, les guerres de Religion du XVIe n'eurent que de faibles répercussions en Catalogne. Ce dernier fait explique la conservation d'un ensemble exceptionnel de peintures sur bois – devants d'autel, baldaquins, croix, etc. – en dehors de l'Italie, unique en Europe pour cette période. La disparition des retables romans – sauf deux exemples – est due à une raison d'ordre exclusivement liturgique : celle de leur substitution par d'autres retables de grande taille dès le XIVe siècle.

L'ampleur et l'intérêt de la peinture murale catalane sont aussi des éléments acquis, comme l'a souligné en 1958 un éminent spécialiste, M. André Grabar, par ces mots : « De toutes les peintures murales romanes en Europe, celles de la Catalogne sont les mieux connues. Leurs qualités sont grandes... Mais il faut se dire aussi que c'est l'énergie et le goût des archéologues catalans qui ont fait une vedette de cette peinture romane. »

Ces mots – qui nous vont droit au cœur – évoquent le triple aspect d'une action qui ne s'est pas seulement attachée à l'investigation mais encore à la conservation et à la diffusion de nos œuvres d'art. Le transfert systématique des peintures murales catalanes a permis d'en assurer la conservation définitive et leur dépôt dans les musées de Vich, Barcelone, Solsona et Gérone a évité, dans un grand nombre de cas, les dangers d'exportation qui guettaient des ouvrages de premier ordre en même temps qu'il en facilitait l'accès aux chercheurs et au public.

Malgré de nombreuses destructions, nous pouvons avoir encore une idée de ce qu'était l'enluminure romane en Catalogne grâce à la conservation d'une grande partie des manuscrits du monastère de Ripoll et de la cathédrale de Vich, ainsi qu'à certains exemplaires visibles à l'étranger : Bible de Sant Pere de Rodes (Bibl. Nationale, Paris), Bible de Ripoll (Bibl. Vaticane), « Beatus » de Turin (Bibl. Nationale, Turin, écrit vraisemblablement à Gérone), et, pour une période plus tardive, vers la fin du XIIe siècle, par les deux grands cartulaires royaux des Archives de la Couronne d'Aragon, à Barcelone (*Liber Feudorum Maior* et *Liber Feudorum Ceritaniæ*).

Dans le domaine de la broderie, il nous reste bien peu d'éléments, mais l'un d'eux compte parmi les plus importants de l'Europe : la pièce dite de la Genèse ou de la Création, qui constituait le dais ou baldaquin de l'autel de la Sainte Croix dans la cathédrale de Gérone.

Il n'est qu'un domaine où les pertes ont été complètes et irréparables : celui de l'orfèvrerie. Pendant le XVe siècle le monastère de Ripoll fut dépouillé de son maître-autel en or, et aussi, paraît-il, des six devants d'autel en argent des chapelles du transept, mentionnés dans un inventaire du XIe siècle. Les derniers exemplaires avaient subsisté jusqu'aux guerres de Napoléon, moment où furent fondues des pièces aussi importantes que le devant d'autel en or émaillé de la cathédrale de Gérone et celui en argent de la cathédrale de Vich. Les textes ne pourront jamais nous permettre de nous faire une exacte idée de la richesse matérielle de ces objets qui rehaussait encore la qualité plastique et la force du dessin et des couleurs des trésors, heureusement sauvegardés, de notre architecture, sculpture et peinture.

JEAN AINAUD
Directeur général des Musées d'Art de Barcelone

PAGE PRÉCÉDENTE :

L'ÉGLISE DE CASSÉRRES
DANS SON SITE,
VUE DU SUD-EST.

CI-CONTRE :

VIERGE A L'ENFANT ET ANGE DE
L'ADORATION DES MAGES. DÉTAIL
D'UNE FRESQUE PROVENANT DE LA
NEF DE SANTA MARÍA DE TAÜLL, ET
CONSERVÉE AU MUSÉE D'ART DE
CATALOGNE A BARCELONE.

P R É S E N T A T I O N

A l'extrémité de la zone d'expansion géographique de l'art roman européen, l'espace réduit qui revient à la Catalogne est celui où proportionnellement se conserve le plus grand nombre de monuments. Limité par surcroît aux actuelles provinces de Barcelone et de Gérone, et à la partie Nord de celle de Lerida, un tel espace offre, groupé au cœur de ces provinces et annonçant déjà les progrès du XIIe siècle dans l'art de bâtir, une architecture parfaitement définie, et caractérisée par son homogénéité à travers un siècle entier de production commencée aux premières décades du XIe.

A la différence de la grande architecture monumentale, forme plus connue de l'art roman en raison de son caractère nettement européen, l'absence totale de sculpture et la sévérité fonctionnelle des structures relient intimement cette architecture catalane au mode de construction propre aux maîtres lombards anonymes; ceux-ci s'introduisirent dans la région pour y rénover les édifices religieux au début d'un mouvement de reconstruction auquel ils imprimèrent les marques d'un style particulier. Cassérres et Cardona montrent la grandeur que celui-ci peut atteindre; grandeur dont le sommet se trouve à San Llorenç del Munt, Corbera et Frontanyà, tandis qu'à Montbui l'on peut trouver le point de départ d'un élan qui se répercutera encore, cent ans plus tard, dans les hautes vallées pyrénéennes pour atteindre Taüll. L'étude et l'approche de ces monuments, tentées par ce livre, s'appliqueront à faire voir la prépondérance acquise par le style lombard, en présentant ses réalisations les plus parfaites et en indiquant le rayonnement atteint par lui en Catalogne. Ce dernier point sera surtout rendu sensible par la carte et par les notices brèves signalant les églises les plus marquantes.

TABLE

L'ART ROMAN CATALAN AU XIE

Formé immédiatement après la Reconquête, le pays catalan doit aux facteurs qui la déterminèrent et aux circonstances qui la consolidèrent les caractères qui l'ont rendu si remarquable à l'époque romane. L'occupation arabe ne fut pas assez forte pour effacer les traces d'un passé qui plongeait ses racines dans la période romaine du pays et dont l'élan séculaire se poursuivit au cours de la période chrétienne. Le mouvement de reconquête après les dures secousses des invasions ne sut pas davantage imposer immédiatement une nouvelle culture uniforme, celle qui sera en pleine vitalité à l'époque carolingienne. Les pouvoirs qui se disputaient alors le pays se trouvèrent devant un triple fait : la population était attachée à ses coutumes qui lui tenaient lieu de droit; sa vie était organisée selon un mode rural, bien qu'elle fut reliée aux villes par la distribution du territoire; au point de vue religieux, elle était encore régie selon la discipline canonique de l'église wisigothique. De sorte que le lent processus d'assimilation qui en d'autres pays amena à une pleine maturité de conscience le réveil européen – la « Renaissance carolingienne » – n'aura pas ici la faculté de se produire.

Pays où s'affrontent les deux mondes qui se disputaient alors l'hégémonie, la Catalogne connut, en même temps que les incursions militaires de l'un et l'autre adversaire, l'influence successive de leurs deux courants de culture : l'un, émané de la cour franque, lui apportant la structuration politique, suivie de la réorganisation ecclésiastique et de la réforme monastique; l'autre, les reflets du monde hispanique rehaussés par l'éclat de la culture du califat de Cordoue. Ces deux courants demeuraient suffisamment ouverts pour se prêter aux influences puissantes qui eurent pour résultat d'amalgamer les éléments divers et de constituer un pays possédant à tous égards une personnalité propre.

Les comtés catalans qui formèrent la Marche hispanique, à l'extrémité Sud de l'empire carolingien, de part et d'autre des Pyrénées, répondaient à une exigence déterminée par les facteurs historiques qui avaient assuré antérieurement la fixation et le comportement de la population dans les diverses agglomérations de chaque région. Ces circonscriptions territoriales d'organisation civile ou ecclésiastique, à peine libérées de la domination sarrasine – tels le Roussillon, la Cerdagne, Urgell et ensuite Empúries, Besalú et Gérone, ainsi que Barcelone – se complétèrent à la faveur du repeuplement du territoire intérieur d'Ausona et du Berguedá pour constituer à partir de 875 un ensemble coordonné qui, au cours des xe et xie siècles élargit sa frontière occidentale et la porta du fleuve Llobregat au fleuve Gaià, jusqu'à absorber finalement les comtés limitrophes du Pallars et de Ribargoça.

Les dernières secousses de la poussée militaire cordouane qui, en 985, aboutirent à la destruction de Barcelone sous le commandement d'Almanzor, et en 1003 s'étendirent jusqu'à Manrèse, manifestèrent à l'évidence que les comtés catalans n'avaient reçu aucune assistance de la cour franque. Ainsi se créa une situation de fait qui eut pour conséquence une complète indépendance d'action. Celle-ci entraîna un regroupement des efforts en vue d'affermir des institutions qui, depuis le début du xie siècle, rejoignaient de plus en plus celles du courant culturel ambiant. L'influence cordouane s'était évanouie avec l'effondrement du califat, et la frontière arabe, ne constituant plus dès lors une menace, devint une sorte de tête de pont invitant à un agrandissement des domaines qui par ailleurs s'accordait bien au sens politique de la Reconquête.

Lorsque le pays fut libéré de la lutte entre les diverses tendances, les comtes, les évêques et les abbés – charges qui se trouvaient réparties entre un petit nombre de familles – l'orientèrent vers un regroupement complet en intime relation avec la France et l'Italie, et sous la protection du Saint-Siège; car on avait commencé à prendre le chemin de Rome à partir du dernier tiers du xe siècle, dès que se fit sentir l'affaiblissement de l'aide apportée jusqu'alors par la cour carolingienne.

La nouvelle poussée de regroupement part de la seconde décade du xie siècle, comme si à ce moment tout avait changé par suite du retour des troupes catalanes qui avaient pris part aux combats de Cordoue en 1010. Elle coïncide avec la floraison des monastères suscitée par la réforme commencée à

Cuxá par l'abbé Guati et largement répandue à partir de Ripoll sous le gouvernement de l'abbé Oliba. L'influence de ce dernier se fit décisive lorsque devenu évêque de Vich, il l'appliqua à l'organisation du diocèse; son esprit supérieur fit qu'elle s'étendit aussitôt aux diocèses voisins. L'action de l'évêque s'imposa aux grands personnages à mesure que s'affermissait son prestige à la cour comtale de Barcelone, régie pendant la minorité de Berenguer Raimond I puis de Raimond Berenguer I par leur mère et grand-mère, la comtesse Ermesinda.

Ce regroupement fut favorisé par la fortification et la consolidation de la frontière occidentale, grâce à la reconstruction des châteaux et des églises qui avaient tant souffert des dernières invasions arabes. Il fut aussi le fruit du labeur de rénovation qui s'imposa dans les régions intérieures en vue de remplacer par des réalisations définitives les constructions religieuses pour la plupart improvisées au début du repeuplement. Tout cela attira de nouveaux constructeurs, tailleurs de pierre et maîtres d'œuvre qui, se dispersant à travers le pays, apportèrent les traits de l'architecture lombarde et les cristallisèrent en des modèles et des structures-types tout à fait caractéristiques. Ce furent ces ouvriers, successeurs des *magistri comacini*, qui, provenant de l'Italie du Nord et plus connus sous le nom de lombards, laissèrent enracinée en Catalogne jusqu'au début du XIVe siècle l'appellation de *Lambart* pour désigner la profession de constructeur et d'architecte.

Puig i Cadafalch a dressé les caractéristiques de la manière-type du roman catalan au XIe. Celle-ci consiste d'une part en un sévère fonctionnalisme aux solutions purement architecturales, et d'autre part en l'adoption systématique de la voûte, caractères que Puig définit comme distinctifs du premier art roman; cette voûte est une œuvre rustique en petits moellons mal taillés, utilisée dans des structures dépourvues de tout décor sculpté, à la différence de l'usage que l'on en ferait postérieurement et qui, toujours selon cet auteur, constituerait avec l'emploi de la pierre sculptée le trait caractéristique du second art roman. Une analyse plus détaillée des monuments basée sur cette théorie et effectuée par l'illustre archéologue, vérifia l'existence de ce genre d'édifices, d'une riche variété de construction. Elle révéla toutefois que celui-ci ne s'était pas répandu simultanément sur tout le pays ainsi que Puig l'avait d'abord supposé, et qu'il ne résultait pas de l'emploi systématique de la voûte, emploi qui se pratiquait déjà depuis le milieu du Xe siècle, mais qu'il constituait un phénomène rigoureusement novateur et sans précédent. Ce phénomène s'était produit dans une région déterminée, pour des raisons précises, et en même temps s'opposait au courant général, prédominant encore à cette époque et dû au maintien de la tradition sculpturale.

Il suffit de jeter un coup d'œil sur la carte géographique où sont indiquées les églises caractérisées par un pur style lombard pour se rendre compte que les meilleures d'entre elles et les zones sur lesquelles elles rayonnent se trouvent surtout – quant à leur nombre et quant à la pureté de leurs formes – à l'intérieur des terres qui furent l'objet du repeuplement organisé par le comte Guifred à partir de 875 dans la partie centrale de la Catalogne. Cette zone coïncide avec le comté d'Ausona, la région de Bergueda et les territoires de la frontière occidentale inscrits dans le rayon d'action de l'évêque Oliba. Si l'on tient compte du fait que les églises érigées sur ce territoire à mesure qu'il s'organisait au point de vue religieux durent l'être rapidement avec des moyens économiques très restreints, et furent construites la plupart du temps avec des matériaux pauvres tels que torchis et pierre rustique, ainsi que l'indiquent les documents – bien que quelques-unes aient été sans doute remplacées par des édifices plus solides –, il est bien évident qu'il fallut les refaire presque toutes; on s'y employa dès que les circonstances amenèrent une période de plus grande prospérité; c'est alors que se produisit l'introduction massive de l'influence lombarde. Dans les territoires des autres comtés, l'évolution dans l'art de bâtir, poursuivie sans interruption, avait permis le développement d'une architecture qui, à partir du milieu du Xe siècle, utilisait tout à la fois dans les églises, voûte et ornements sculptés. La vie religieuse y avait suivi son cours normal, qui permettait le lent embellissement et accroissement des édifices cultuels. Ceux-ci existaient encore en grand nombre au début du XIIe siècle, mais disparurent alors devant la prédominance de l'art roman; cet art avait déjà pénétré avec l'architecture lombarde, au moins sous forme d'infiltrations, mais il s'était uni au courant général dans lequel la sculpture ornementale était généreusement utilisée. Par contre, ce n'est pas pour rien que la région centrale où se produisirent la manifestation et l'éclosion de l'art lombard – motivées par un besoin de rénovation antérieur comme on l'a dit –, se trouvait sous l'autorité directe de l'évêque Oliba. Celui-ci donna sans aucun doute l'impulsion à ce mouvement de rénovation et dirigea des équipes de constructeurs appelés à bâtir des types d'églises adaptés aux exigences liturgiques, surtout en ce qui concerne la forme du sanctuaire. Ceci se trouve confirmé par le fait qu'Oliba remplaça le chevet de la basilique construit à Ripoll quelques dizaines d'années plus tôt, par un majestueux transept flanqué de sept absides; et qu'il agit d'une façon assez semblable à Cuxà, où il transforma l'abside centrale, ainsi qu'en d'autres églises moins importantes telles que Montbui. Oliba imposa ainsi l'abside semi-circulaire ouverte comme élément indispensable, ce qui transforma l'espace entourant l'autel, clôturé par l'arc triomphal – caractéristique de l'architecture de tradition hispanique – qui à cette époque existait sans doute encore dans le type d'église déterminé par une liturgie désormais périmée.

La nouvelle orientation liturgique résultant de l'assimilation de la liturgie romaine, et l'usage de la voûte, avaient ébauché déjà une évolution architecturale tendant à donner plus d'importance à l'abside. On constate d'abord cette évolution dans les comtés de l'autre côté des Pyrénées, puis elle pénètre dans le comté d'Empúries avec l'église de Sant Pere de Rodes, consacrée en 1022, riche d'une expression monumentale qui ne se confina pas dans cette seule partie de la Catalogne. On y sent certes déjà la présence des constructeurs lombards, qui laissèrent leur empreinte si particulière, qu'ils se soient bornés à mettre en œuvre certains éléments traditionnels du pays comme à Santa María de Roses, ou qu'ils aient réalisé leurs types architecturaux propres, comme dans quelques rares églises disséminées dans les territoires d'Empúries et de Gérone. Mais c'est surtout vers la région centrale, dont il a été déjà question, que les tailleurs de pierre lombards affluèrent, attirés par l'œuvre de rénovation que l'évêque Oliba avait entreprise et qui fut continuée par ses successeurs, en même temps qu'elle se voyait favorisée par les vicomtes d'Ausona et par les seigneurs du pays qui s'intéressaient, pour des questions économiques, à la consolidation de la frontière et, à l'intérieur, au prestige de leurs domaines. Les constructions simultanées de Ripoll, consacrée en 1032, de la cathédrale de Vich, consacrée en 1038, de l'église de Cassérres, consacrée en 1039, et de la magnifique basilique de Cardona, consacrée en 1040 – pour ne citer que les plus importantes – permettent de situer avec évidence le centre de ce rayonnement extraordinaire qui s'étendit, au cours du XIe siècle, sur la plupart des églises du diocèse de Vich et sur celles situées dans les domaines de Ripoll et gagna également les régions limitrophes, suivant un type et une structure uniformes. Ceux-ci demeurèrent intensément vivaces jusqu'aux premières décades du XIIe siècle, moment où la réaction artistique des régions extrêmes et des régions pyrénéennes imposa un art plus monumental qui n'oubliait pas les traditions sculpturales antérieures mais, au contraire, en assurait le renouveau au contact des influences exercées par les monastères français, par suite des rapports étroits de dépendance et de possession auxquels avait donné lieu la réforme grégorienne.

L'œuvre lombarde n'est pas une simple transplantation de modèles que les tailleurs de pierre et les maîtres d'œuvre nomades auraient importés de l'Italie du Nord. L'architecture à laquelle ils étaient habitués dans des églises à couverture de bois, dut s'adapter à la structure imposée par l'emploi de la voûte, pratiqué déjà depuis un demi-siècle dans les églises locales et que l'on trouve même dès 957 dans le monastère de Banyoles, date à laquelle l'église de ce lieu fut reconstruite après avoir été incendiée par les infidèles. La voûte conditionne le type architectural de la structure; sous son poids les murs cessent d'être de simples parois qui entourent l'espace interne et servent de support à la charpente de la couverture; ils deviennent plus solides, plus épais, s'appuient sur des arcs doubleaux pour s'incurver et refermer l'espace de leur demi-cylindre; en rapport avec la poussée de cette voûte, ils ont moins d'ouvertures et leurs fenêtres, fendues comme des meurtrières, sont à double ébrasement. L'édifice est désormais conçu d'un seul bloc à partir des fondations, suivant un plan parfaitement adapté au système de couverture, calculé suivant la logique fonctionnelle de la construction. C'est elle qui ordonne les pierres en assises superposées, les fait monter jusqu'au faîte de l'édifice sans sortir des nécessités de l'œuvre, organisant la perspective et créant les espaces suivant l'exigence rationnelle de la forme. Il en résulte une expression austère, harmonieuse et forte, pleine d'équilibre et de vigueur. La courbe jaillie du plan vertical des murs se retrouve à leur extrémité avec l'abside semi circulaire, dans le cas d'un plan à une seule nef; ces murs au contraire se dilatent lorsque, percés de grandes arcades, ils reposent sur des piliers qui multiplient les nefs. On réussit ainsi à conserver la surface spacieuse de la basilique tout en créant des formes nouvelles d'une saveur émouvante, et cela aussi bien lorsque l'artiste a recours à la plus stricte simplicité dans le grandiose – ainsi l'imposante église du monastère de Cassérres – que lorsqu'il utilise toutes les ressources, tous les éléments possibles et les combine savamment – ainsi l'impressionnante église de Cardona où sont harmonisées voûtes en berceau et voûtes d'arêtes, encadrées d'arcs doubleaux et de formerets, sur lesquels s'élève un timide essai de coupole.

Dans l'œuvre lombarde catalane l'architecture ne se limite cependant pas à la construction d'églises sur le plan, déjà décrit, à une ou trois nefs selon la plus ou moins grande capacité requise. Cette architecture se plaît à créer d'autres formes dans lesquelles la solution au problème de l'espace trouve une expression plus émouvante grâce à des structures plus strictes, plus monumentales, d'où se dégagèrent des types qui se diffusèrent rapidement. Dans un premier essai de réduction de l'enceinte basilicale – telle Santa Cecilia de Montserrat – les nefs latérales s'atrophient et deviennent plus courtes que la nef centrale avec laquelle elles ne communiquent que par un arc.

C'étaient les premiers pas qui aboutirent à une nouvelle solution destinée à un plus grand succès : celle d'un chevet composé du transept sur lequel s'ouvrent les trois absides. On peut y voir le résultat d'un processus de simplification qui épure la forme et l'ordonnance de l'espace interne de l'édifice, permettant ainsi de nouvelles possibilités de structure. Celles-ci mèneront au plan cruciforme et à l'application normale de la coupole à l'interférence centrale des voûtes, extérieurement couronnée par une tour lanterne. On obtient une nouvelle réduction de ce type en érigeant des églises à nef unique, en supprimant le transept mais en conservant par contre les absidioles qui viennent alors s'emboîter face à face dans les murs latéraux de la nef, de chaque côté de l'abside, constituant ainsi une manière de chevet triabsidal qui, vers la fin du siècle, est souvent surmonté d'une coupole. Les deux modèles, celui du plan à une nef avec transept et celui du chevet triabsidal, connurent une grande faveur car ils constituaient, en dépit de leur aspect monumental, les constructions les plus utilitaires qu'ait produites le style lombard, avec les églises à nef simple. Le modèle à plan circulaire fermé par une coupole et comportant une ou plusieurs absides saillantes eut moins de succès.

Le système de voûte utilisé est celui en berceau semi-circulaire ininterrompu, qui couvre admirablement nefs et transepts. Souvent il s'appuie sur des arcs doubleaux qui divisent l'édifice en travées. Dans les basiliques, les voûtes sont parallèles et leur hauteur suit l'échelonnement créé par la couverture extérieure à deux versants; dans d'autres cas, la nef centrale est nettement plus élevée que les collatéraux. Vers la fin de cette période et loin de la région centrale, vers l'extrémité orientale des Pyrénées, les voûtes des bas-côtés se réduisent à un quart de cercle. A l'intersection de la nef et du transept, elles s'opposent chaque fois qu'elles supportent la base de la coupole, sauf à l'église de Corbera où elles restent parallèles dans les bras du transept. L'emploi de la voûte d'arêtes est moins fréquent; elle est surtout utilisée dans la couverture des cryptes et n'apparaît que dans les collatéraux de l'église de Cardona et dans le corps qui unit les absides au chevet de l'église Sant Saturnino de Tavérnoles. La couverture en cul-de-four, faite de rangs horizontaux de moellons ou de pierres inclinées selon une courbe descendante est propre aux absides. Les coupoles ne sont pas hémisphériques mais se présentent à la façon d'une voûte en arc de cloître qui aurait huit pans au lieu de quatre; elles s'élèvent sur des trompes coniques situées aux angles du carré de base et sont prises dans des massifs saillant à l'extérieur de la couverture – circulaires à Salou, polygonaux dans la plupart des cas. Ces massifs sont parfois dépourvus d'expression et se limitent à une forme cubique comme à Sant Pons de Corbera, ou servent parfois de base à un clocher.

Les constructeurs lombards purent inscrire rapidement ces solutions de voûtes dans leur répertoire de ressources architecturales. Celui-ci était formé d'éléments divers : une partie leur avait été donnée par les vestiges d'édifices romains qui avaient survécu aux destructions, tandis qu'une autre partie était le fruit des modifications apportées par l'art chrétien à ces mêmes édifices, donnant de chacun une nouvelle version dans son style propre; ainsi étaient nées les églises de plan basilical, les églises cruciformes et celles à chevet absidal, dont l'art était très différent de celui du pays où ces architectes lombards venaient apporter leurs méthodes et par là-même recréer les formes. Avec leur langage personnel d'une expression intense, où prédomine de façon rigoureuse la structure sur l'ornement, où les rares éléments décoratifs sont totalement assujettis à la manière de construire, ils élèvent une architecture d'une sincérité convaincante et d'une sobre grandeur qui convenait spécialement à un moment d'austérité comme celui où les églises de la Catalogne centrale, marquées par la réorganisation liturgique qu'imposait alors l'évêque Oliba, demandaient à être construites de façon définitive.

L'appareil, caractérisé par l'emploi de pierres à peine taillées à coups de marteau près du chantier, était celui qui se rapprochait le plus de l'architecture de briques telle que l'employaient les Lombards. Cet appareil tendit peu à peu à utiliser des moellons réguliers, tels qu'on les voit mis en œuvre dans les plus beaux édifices construits à partir du milieu du XIᵉ siècle, lorsque – au même moment – les documents font l'éloge des murs élevés avec la noblesse et la perfection des pierres équarries et polies. Plus tard on constate la présence du tailleur de pierres dans les quelques éléments ornementaux : corniches, consoles, chapiteaux trapézoïdaux pour les fenêtres jumelées, avant que la fin du siècle n'impose la pierre ouvragée en blocs de plus grande taille. Les formules des éléments de décoration qui deviennent caractéristiques des absides et sont constitués par des saillies formées de petites arcatures divisées par des lésènes revêtant le mur sous la ligne de la couverture, ont la même provenance que l'architecture de briques élaborée en Lombardie qui résultait, elle, de l'assimilation d'anciennes influences orientales. Les arcatures et les lésènes sont des éléments décoratifs-types qui envahissent les murs latéraux, voire même les façades des plus belles constructions et servent également à accuser les différents étages des tours et clochers. L'emploi de pierre spongite ou de couleurs différentes dans ces saillies, de même que dans les douelles des fenêtres et des portes, contribue souvent à enrichir la structure d'une note polychrome. En même temps que les arcatures, et s'étendant quelquefois au-dessus de ces dernières, apparaissent les frises en dents de scie. Apparaissent également les fenêtres aveugles, inscrites sous les arcatures, entre les saillies qui ornent les absides. Ces fenêtres existent aussi sur le transept à Ripoll et Cardona, sur la partie supérieure des murs latéraux de la nef à Tavérnoles, Sescorts et Vilalleons, tandis qu'à Bellcaire elles s'introduisent seulement près de l'abside, et qu'à Frontanyà, Salou, Santa Eugenia de Berga, elles ornent les parements extérieurs de la tour centrale. Ces éléments caractéristiques constitués par l'appareil, les frises en dents de scie, les fenêtres aveugles et surtout les arcatures encadrées par des lésènes, constituent avec la structure de l'édifice le sceau de l'œuvre lombarde. Ils apparaissent d'abord sur les chefs-d'œuvre, puis sont reproduits et interprétés de façons multiples dans un grand nombre d'églises similaires, par les constructeurs du pays qui les adaptent à leur milieu et à la topographie locale. On les trouve employés de façon intense jusqu'au XIIe siècle, moment où, dans l'évolution du roman, les demi-colonnes se substituent aux lésènes. On supprime ces dernières afin de mettre davantage en valeur les arcatures en pierre façonnée qui bientôt d'ailleurs ne tarderont pas à s'appuyer sur des consoles et à s'étendre sous les corniches qui souligneront la toiture.

L'œuvre de rénovation effectuée par Oliba dans la basilique de Ripoll consacrée en 1032, et qui consista dans l'érection du transept grandiose – flanqué de sept absides – et de deux clochers, montre l'ampleur des constructions entreprises par cet évêque, qui atteignirent leur point culminant avec la cathédrale de Vich consacrée en 1038; à côté d'un svelte clocher, s'y trouvait une nef magnifique unie à un transept pourvu de cinq absides dont la principale se développait au-dessus d'une crypte spacieuse. Au même moment les vicomtes d'Ausona faisaient ériger les églises de Cassérres et de Cardona. Tout cela représentait une activité intense de construction qui trouva une répercussion immédiate dans cette partie centrale de la vieille Catalogne. Le désir et le souci de remplacer les églises rustiques et pauvres furent tels, que l'on s'arrêta à peine à rénover le plan basilical. Si celui-ci à Cassérres et Cardona est employé dans une optique nouvelle, il subsiste tel quel à Malla, Terrassola et Castellcir. Par contre on a recours de coutume à des plans plus réduits qui connaissent une plus vaste diffusion : celui d'une nef avec transept et trois absides, qui, vers la fin du siècle, se verra surmonté d'une coupole; celui d'une nef avec chevet triabsidal qui ne présente de coupole qu'à Sant Joan de Fábregues; enfin, tout spécialement, celui constitué par une seule nef plus ou moins spacieuse qui atteint à un véritable caractère de monumentalité dans les églises érigées à l'intérieur des domaines des vicomtes d'Ausona. Les mêmes caractères se retrouvent au même moment dans les églises construites à l'extrémité de l'évêché de Vich, près de la frontière arabe; on n'y retrouve pas seulement le plan à une nef qui règne jusqu'à Boixadors et Queralt, mais encore les premiers essais de réduction de l'espace intérieur, limité à une nef avec transept et trois absides à Santa Cecilia de Monserrat, Castellfollit del Boix et Sant Pere de l'Erm. Les mêmes caractéristiques sont discernables, vers la fin du XIe siècle et au début du siècle suivant, dans la région du Vallés, vers la frontière extrême du comté de Barcelone, où le type basilical ne subsiste qu'à San Llorenç del Munt, en 1066, et à la Pobla de Claramunt, en opposition avec une foule d'églises à nef unique et à d'autres pourvues d'un transept, parmi lesquelles émergent celles de Corbera et Terrassa, toutes deux à coupole, en plus des églises triabsidales, toutes surmontées d'une tour.

Le rayonnement de Cardona se fait sentir sur les terres du Berguedà ainsi que dans la région d'Urgell, territoires où persiste par contre le type basilical; à Estemariu, il se présente encore avec une charpente en bois, tandis que Sant Saturnino, couvert d'une voûte, se termine par un chevet monumental à plusieurs absides, et qu'à Gualter s'y ajoute une coupole inspirée d'un modèle plus évolué d'architecture propre aux régions de Gérone, modèle qui apparaît également à Ager. Le principe de l'église à une nef et transept est adopté à Meià vers 1037, et à Sant Pere de Urgell. Il atteint à une expression monumentale à Serrateix et surtout Frontanyà où il se combine avec la tour centrale. Par contre le plan cruciforme à coupole apparaît à Sant Cugat de Salou, un des nombreux domaines du monastère de Ripoll, où l'on sent la main d'un maître qui réalisa une œuvre d'une forme expressive élégante, reproduite par la suite dans d'autres églises des alentours. Cependant les églises constituées par une seule nef sont peu nombreuses ainsi que celles à chevet triabsidal, adopté au début du XIIᵉ siècle lors de la construction de Sant Pere de Pons avec les fenêtres aveugles caractéristiques logées sous les arcatures qui ornent les absides.

Les églises à une seule nef selon les caractéristiques lombardes deviennent de plus en plus rares à mesure que l'on remonte les vallées pyrénéennes où le style ne se développa que tardivement, durant les premières décades du XIIᵉ siècle, et n'apporta aucune de ses structures propres mais seulement certains éléments typiques : les absides aux saillies d'arcatures et de lésènes, et les clochers sveltes où ces ornements sont aussi employés sur le parement des murs. Ceci explique le fait que l'église du monastère d'El Burgal conserve la disposition traditionnelle du plan basilical, avec charpente en bois, de même que les églises qui se développèrent autour de celles de Taüll, consacrées en 1123, bien que la voûte ait été adoptée dans certaines d'entre elles, bâties pourtant antérieurement, telle Santa Cecilia de Elins.

Le même rayonnement qui s'étend du massif central jusqu'à la région du Vallés, se prolonge, avec moins d'intensité toutefois, en direction du littoral, mais avec des églises à une seule nef en général ; on ne trouve de transept qu'à Canet d'Adri, et de chevet triabsidal avec absides prises dans la masse du mur semi-circulaire qu'à Sant Pol de Mar. L'église cruciforme Sant Daniel de Gérone, construite vers 1020, et la cathédrale consacrée en 1038 – dont il ne reste qu'une partie du clocher – ne suffirent pas à propager le style dans sa pureté originelle ; celui-ci ne se manifeste que dans les églises à trois nefs de Campmajor et de Palau Saverdera qui, de même que celle d'Amer, appartiennent encore au groupe cohérent d'églises lombardes. Dans les anciens comtés du Nord pyrénéen de cette région la survivance des anciennes formes de structure monumentale eut une grande importance : influencées par les églises Sant Pere de Rodes et Santa María de Roses, ces formes suivirent l'évolution d'une architecture qui cherchait à conserver le plan basilical, en couvrant souvent les collatéraux de voûtes en quart-de-cercle, en utilisant les colonnes comme supports d'arcs et comme ornement de l'intérieur des absides, et enfin en adoptant un transept dont les extrémités dépassaient le corps de l'édifice : Fluvià, Banyoles et Colera sont les exemples typiques de ce modèle, ainsi que Cruïlles dont la basilique est surmontée d'une coupole. Dans toutes ces églises l'art lombard déploya ses ornements caractéristiques d'arcatures et de lésènes qui revêtent les absides et reprit les fenêtres aveugles disposées sous les arcatures à Palau Saverdera et à Bellcaire. Le contact avec le Roussillon et les vallées de l'autre côté des Pyrénées – où se produisait alors un phénomène similaire – contribua sans doute à maintenir la vigueur d'une architecture en pleine évolution qui assimilait les nouveaux principes importés par les Lombards sans se laisser dominer par eux, et gardait les formes monumentales, basées sur l'emploi de la colonne, en voie de transformation et de prédominance à un instant où s'épuisaient les ressources d'un style, cantonnées dans la sobriété des lignes et le fonctionnalisme des structures.

Après avoir considéré les diverses manifestations de ce style, on ne saurait passer sous silence, à côté de la variété des structures des églises, les tours érigées comme clochers en bon nombre de cas. Parfois détachées mais le plus souvent faisant corps avec l'édifice, celles-ci présentent une base carrée et une couverture pyramidale peu proéminente. Quelques-unes cependant furent modifiées durant le Moyen Age et terminées en créneaux. Ces tours font leur apparition dans les cathédrales de Gérone et de Vich et dans le monastère de Ripoll, à l'intérieur de l'orbite précitée, ainsi qu'à Cuxà et au Canigou, et se caractérisent par leur grande hauteur, au flanc des constructions monastiques de Fluvià, Sant Cugat del Vallès et Breda, et dans les églises paroissiales de Taradell, Torelló et Tavérnoles dans la plaine de Vich. Elles sont d'importation typiquement lombarde, identiques aux modèles déjà construits dans l'Italie du Nord, par leur forme et leur division en étages que des frises en dents de scie soulignent à l'extérieur tout autour des murs. Les parements y sont de même divisés en panneaux par des lésènes qui partent d'une arcature; au-dessous de celle-ci s'ouvrent les fenêtres, simples archères dans le bas, mais qui, à mesure que montent les étages, s'élargissent, deviennent doubles, voire triples, et sont divisées par de petites colonnes qui supportent des chapiteaux trapézoïdaux. Leurs importateurs purent bâtir ces tours en toute liberté, sans avoir à adapter leurs modèles à des constructions précédentes puisqu'il n'en existait pas dans le pays. Et ceci explique leur grand rayonnement. Elles dépassent en effet l'aire normale d'expansion de l'art lombard et pénètrent jusque dans les régions périphériques. Elles s'insinuent dans les vallées pyrénéennes, même après qu'a commencé le rayonnement des clochers habituels, ces petits clochers délicieux, montés sur les voûtes des nefs ou sur les dômes des églises.

L'extraordinaire ensemble des monuments conservés en Catalogne montre à quel point l'activité de bâtir y fut intense durant le XIe siècle. Il faut en outre tenir compte du fait que de nombreuses églises furent élevées dans la région centrale au cours des XVIIe et XVIIIe siècles et vinrent se substituer à des églises romanes, et se rappeler aussi que bien rares sont les vestiges des nombreux châteaux qui furent érigés alors un peu partout. L'œuvre des maîtres lombards fut donc immense qui répondit à l'effort collectif de rénovation entrepris à cette époque et sut porter celui-ci à des principes concrets et précis parfaitement adaptés à l'austère idéal de simplicité plus que jamais nécessaire en ce temps. Les cathédrales et les monastères se plièrent à ces exigences, à ces formes nouvelles avec enthousiasme, et, à leur exemple, une infinité d'églises surgit, que les seigneurs firent ériger dans leurs domaines ou que les fidèles construisirent à leurs propres dépens. Ainsi se propagea un style que l'on ne saurait confondre avec aucun autre et qui, pendant plusieurs siècles, s'identifia avec la personnalité du pays dans lequel il s'était si largement développé.

QUELQUES ÉGLISES DU XIᴱ SIÈCLE EN CATALOGNE

1 *ABRERA.* LE CHEVET DE FORME TRIABSIDALE SOUS UNE COUPOLE rudimentaire est la partie la plus ancienne de cette église dédiée à saint Pierre. Les absides sont décorées de trois arcatures entre lésènes; il n'en est pas de même pour la nef, rénovée avec des murs plus épais et couverte d'une voûte en tiers-point. Un portail du XIIᵉ siècle situe l'époque d'une réforme qui aboutit à la construction du clocher sur la travée précédant la coupole.

2 *ANEU. MONASTÈRE DE CHANOI-NES DE SAINT AUGUSTIN.* L'église Santa Maria dont il est question en 839, fut, en 1088, l'objet d'un litige entre les comtes de Pallars superior et l'évêque d'Urgell. Le grand sanctuaire marial actuel présente trois absides avec doubles arcatures entre lésènes, qui correspondaient à un plan basilical de trois nefs, dans les murs desquelles demeurent quelques piliers, témoins probables d'anciennes voûtes d'arêtes remplacées, au XVIᵉ siècle, par une toiture en bois sur doubleaux qui réduisent les trois nefs à une seule.

3 *BARRUERA.* CONSACRÉE A SAINTE MARIE SOUS LE PONTIFICAT DE saint Oleguer, évêque de Barcelone (1116-1137), cette église se compose d'une nef avec transept flanqué de trois absides. La partie la plus ancienne est le chevet dont les absides sont décorées d'arcatures lombardes, de même qu'un des tympans du transept. Au système de voûte semi-circulaire de ce dernier se contrepose la voûte surhaussée de la nef, avec laquelle cette nef dut être prolongée ou modifiée lors de la construction de la tour du clocher. Cette tour offre sur les bords de ses faces de simples saillies qui viennent s'unir dans la partie supérieure et forment deux arcs sur les fenêtres. L'église conserve une décoration murale qui, dans l'abside centrale, représente le Pantocrator entouré du tétramorphe au-dessus de registres

inférieurs qui comprennent, dans leur partie haute, les thèmes de la Visitation, de la Nativité, du Bain de Jésus et de l'Annonciation; dans la partie basse, sur un fond de draperie, les Mages devant Hérode, l'Épiphanie, et le Christ entrant à Jérusalem. Sur l'arc triomphal on voit une tête de méduse, Caïn et Abel, Adam et Ève, et sur la face du pilier, le Jugement de Salomon. Sur la voûte centrale du transept, aujourd'hui disparu mais visible jusqu'à 1936, se trouvait le Pantocrator entouré des vingt-quatre Vieillards de l'Apocalypse, avec leurs cithares et leurs coupes. Les fresques des absidioles ne sont pas l'œuvre du même artiste; dans celle de l'épître sont représentées des scènes de la vie de saint Pierre et de saint Paul, et dans celle de l'évangile, l'Invention et l'Exaltation de la Croix.

4 *BELLCAIRE. PRIEURÉ DÉPEN-DANT DU CHAPITRE D'ULLA,* l'église Sant Andreu et Sant Joan conserve la caractéristique lombarde d'une galerie de fenêtres aveugles qui s'étend sur une partie des murs latéraux de la nef et entoure l'abside en groupe d'arcatures divisées par des lésènes. Les peintures – qui, provenant de cette abside, sont conservées au Musée diocésain de Gérone, et ont pour thème la Pentecôte, visible sur la partie incurvée, au-dessous des figures de la Sainte Trinité – sont de la même main que les peintures d'El Brull et d'Osomort.

5 *BERGA.* L'ÉGLISE SANTA EUGE-NIA, DANS LA PLAINE DE VICH, avec une nef et un transept se terminant par trois absides, répond, dans sa structure primitive du XIᵉ siècle, à la facture lombarde : fenêtres aveugles sous avant-toits, tambour octogonal de la coupole, construites en pierre rougeâtre se détachant sur le gris des murs. Un siècle plus tard cette structure fut modifiée par l'élévation, sur la coupole, du gracieux clocher de la tour; ce fut une œuvre audacieuse

ANEU

BARBERA

BERGA

qui exigea le renforcement extérieur des absides et fut complétée par une nouvelle façade combinée avec un haut chœur, ou galerie, sur la porte d'accès, et un escalier en colimaçon surmonté d'une petite tour aux fenêtres jumelées. La rénovation se caractérise par l'emploi de blocs taillés et ne présente pas d'autre ornement qu'une simple corniche, sauf dans le clocher où persistent des arcatures sous frises en dents de scie et des fenêtres partagées par des colonnes. Cette rénovation donna lieu à la consécration, effectuée en 1173. Sur la façade s'ouvre une rosace d'arcatures concentriques au-dessus du portail, composé d'archivoltes sculptées qui émergent des colonnes. Celles-ci sont surmontées de chapiteaux ciselés à la manière de l'école de Ripoll.

6 BESORA. *AU SOMMET DE LA COLLINE CONIQUE D'OU ÉMERGENT à peine quelques ruines du vieux château, l'église Santa Maria fut accordée à Emma, abbesse de Sant Joan, par Godmar, évêque de Vich, en 898, alors que le pays se trouvait en plein repeuplement. Elle fut totalement rebâtie pendant la seconde moitié du XIe siècle par Gombald de Besora, très uni à l'évêque Oliba. Bien que la voûte se soit effondrée lors de l'incendie de 838, les murs avec l'abside au bord du précipice et une grande partie du clocher sont toujours debout. Elle comprend une seule nef divisée par deux arcs doubleaux, et un sanctuaire précédant l'abside. L'extérieur de celle-ci s'orne de groupes de trois arcatures, tandis que les murs de la nef se terminent par une frise d'arcatures au-dessous de la ligne de couverture. Adhérant au mur méridional se dresse la tour carrée du clocher. Celle-ci se compose d'une base et de deux étages (dont le dernier se trouve en ruines), soulignés par des arcatures avec une fenêtre au milieu de chaque face, en plus d'une autre, jumelée, divisée par une colonne. La structure soignée aux blocs réguliers emploie de la spongite dans les éléments qui forment arcatures et fenêtres. Le parvis, ouvert par trois arcades devant le mur méridional où se trouvait la porte primitive, fut construit postérieurement, au XIIe siècle, et est recouvert d'une toiture en bois. La voûte primitive qui s'effondra au début du XVe siècle, fut remplacée par une autre, à nervures gothiques, qui a disparu à son tour.*

7 BRULL (EL). DÉDIÉE A SAINT MARTIN, CETTE ÉGLISE FUT ERIgée au temps de Guisla vicomtesse de Cardona, dans un de ses fiefs, et consacrée par Guillaume, évêque de Vich, après 1047. Le fils de la vicomtesse, Raymond Folc, confirma en 1062 les limites de la paroisse rurale. L'église se compose d'une nef triabsidale sans transept, dont les absidioles ont disparu en s'élargissant au profit d'autant de chapelles. La voûte primitive fut remplacée par une autre à lunettes. Les constructeurs qui travaillaient au service de la maison de Cardona modelèrent l'abside avec des fenêtres aveugles typiques sous arcatures entre

lésènes, qui envahissent également les mur extérieurs de la nef. Au XIIe siècle un portiqu fut adossé au mur méridional.

L'abside présente intérieurement cinq niche séparées par des demi-colonnes, où se logen trois fenêtres, murées au XIIe siècle, lorsqu cette abside fut décorée de peintures actuelle ment conservées au Musée épiscopal de Vich Les thèmes de la décoration, au-dessous de l figure centrale du Pantocrator, sur le registr qui s'étend au-dessus des niches, se réfère à la Naissance de Jésus, à l'Annonce aux berger à l'Adoration des mages et à la Présentatio au temple. A l'intérieur des niches se trouv le cycle de la création et du péché origine en plus de deux figures de saints situées au extrémités. Ces peintures sont l'œuvre du mêm artiste qui décora l'abside d'Osormort e Bellcaire.

BESORA

EL BRULL

BURGAL. *RÉSIDENCE MONASTI QUE DÉJA AU IXe SIÈCLE, L'ÉGLI se Sant Pere fut destinée en 945 par Isarn, comt de Pallars, à une communauté de religieuses dirig par une abbesse et assujettie à La Grassa quatr ans plus tard. Les antiques constructions furen modifiées lorsque fut édifiée la nouvelle église qui, pa sa structure, accuse les premières décades du XIIe siècle Elle est construite suivant le plan basilical, recouver d'une armature en bois, soutenue par les murs d division des nefs, arqués sur des piliers carrés La rusticité de la structure contraste avec le chev plus récent, aux arcatures lombardes s'étendant une simple corniche, à l'extérieur des absides. Chos singulière, une autre abside est complètement liss à l'extérieur, et s'ouvre dans le mur occidental, double étage et contreposée à la grande abside. D celle-ci, précédée d'un espace rectangulaire, provien la décoration murale conservée au Musée de Barcelon et œuvre du maître de Pedret; on peut y voir encor la partie inférieure du Pantocrator avec la figur d'un voyant et la moitié inférieure d'un archang qui porte à la main un rouleau sur lequel est écr le mot POSTALACIUS; sur la zone comprise entr les deux fenêtres et s'étendant jusqu'aux murs d sanctuaire, se trouvent représentés, assis sur un ban la Vierge et les Apôtres; sur la zone inférieur une draperie d'où émerge la figure d'une femm tenant un cierge à la main, accompagnée de l'inscrip tion COMITISA, allusion à la comtesse inconnue d Pallars qui dut financer la décoration.*

CAMPMAJOR

CAMPMAJOR. *DANS LE COMTÉ DE BESALU, L'ÉGLISE DE SANT Miquel consacrée déjà en 949, avec trois autels fut, pendant le XIe siècle, remplacée par un autre qui fut agrandie un siècle plus tard pa l'adjonction d'une autre nef du côté septen trional. Elle comprenait trois nefs, recouvert de voûtes semi-circulaires sur piliers carrés, e trois absides, dont l'une a disparu, décorées ave quatre arcatures entre lésènes.*

10 CASTELLCIR. *DANS LES LIMITES DU CHATEAU ET A UNE BONNE*
distance de celui-ci se forma la paroisse rurale dédiée à saint André. L'église est une construction basilicale à trois nefs, divisées par des piliers à base rectangulaire, sans arcs doubleaux. La voûte est semi-circulaire, et l'édifice se termine par trois absides. A la fin du siècle dernier une mauvaise restauration supprima l'abside centrale et l'absidiole de droite, agrandissant l'église sur le devant, en englobant un atrium appuyé sur des pilastres décorés de colonnes.

11 CASTELLFOLLIT DEL BOIX. LA PAROISSE RURALE DÉDIÉE A
saint Pierre se forma sur le haut du plateau. Vers le milieu du XIᵉ siècle on y construisit l'église d'une nef avec un très large transept aux voûtes parallèles, flanqué de trois absides comportant les caractéristiques lombardes des arcatures séparées par des lésènes. Une profonde modification effectuée vers la fin du XIIIᵉ siècle transforma l'absidiole du côté de l'épître en la laissant complètement lisse, et reconstruisit le mur méridional sur lequel fut érigé un portail avec des archivoltes reposant sur deux colonnes. L'église changea de caractère en 1633 lorsque la nef fut amputée, et resta réduite au transept et à un sanctuaire qui fut construit à l'extrémité opposée de la porte. On y conserve un sarcophage intéressant avec figures géométriques autour d'une croix, sculptées en reliefs sur la face principale. C'est une œuvre du début du IIᵉ siècle.

12 CASTELLFOLLIT DE RIUBREGOS. *DE PLAN CRUCIFORME, ELLE*
comporte une coupole peu expressive à l'extérieur, d'après le modèle de Sant Cugat de Salou. Le sens de l'église fut inversé lorsque l'on supprima l'abside et qu'on allongea son tracé au moyen d'une nef, déplaçant le sanctuaire au fond carré du bras opposé. Celui-ci montre à l'extérieur l'ornement d'arcatures divisées par des lésènes en groupes de deux – en groupes de trois sur le mur opposé – au-dessous d'une frise en dents de scie, avec une seule fenêtre centrale.

13 CASTELLNOU DE BAGES. EN DÉ-PIT DES GRANDES TRANSFORMA-
tions qu'elle a souffertes par suite de la modification d'une partie des voûtes en 1671 et du surhaussement de la couverture, ainsi que de la mutilation d'une absidiole, la basilique Sant Andreu conserve son plan structural du XIᵉ siècle. Elle comprend trois nefs parallèles recouvertes d'une voûte en plein cintre et sectionnée par des doubleaux qui permettent à la nef centrale de rester plus élevée. Les arcatures revêtent l'extérieur des absides et s'étendent le long des murs latéraux et de la façade.

14 CERVELLO. *L'ÉGLISE SANTA MARIA ÉRIGÉE A L'INTÉRIEUR*
du château est une œuvre d'époque avancée, du début du XIIᵉ siècle, qui s'inscrit encore dans le style lombard. Elle se compose d'une nef avec chevet triabsidal dont ne demeure que l'abside centrale, les absidioles ayant été remplacées par des chapelles de facture gothique. Elle présente une coupole élevée, reposant sur trompes, dont les côtés de l'octogone, perforés par quatre fenêtres, sont encadrés dans des plans de trois arcatures entre lésènes – élément décoratif qui entoure l'extérieur de l'abside, des murs latéraux et de la façade. Deux niches sont pratiquées dans les murs qui précèdent l'abside, et l'intérieur de celle-ci est formé de trois autres niches, séparées par des colonnes. Il est probable que le clocher gothique placé sur la coupole est venu remplacer un clocher antérieur.

15 COANER. AU PIED D'UNE TOUR CIRCULAIRE DE DÉFENSE ET AU
bord du précipice se trouve située l'église Sant Julián, de plan basilical à trois nefs, à l'intérieur d'une aire presque carrée. Les nefs communiquent entre elles par trois arcs reposant sur des piliers cruciformes. De ces piliers partent les doubleaux qui renforcent une voûte semi-circulaire. L'église comprend trois absides avec saillies en double arcature entre lésènes sur les absidioles, et en triple arcature encadrant des fenêtres aveugles sur l'abside centrale. La décoration d'arcatures lombardes se poursuit sur les murs extérieurs. On sent partout un modèle inspiré de Cardona et interprété par des constructeurs rustiques. Le clocher à deux étages, érigé sur la voûte, au pied de la nef centrale, date d'une période postérieure, et le surhaussement de la couverture ainsi que la modification de la porte d'entrée sont plus tardifs encore.

16 COLERA. *ON IGNORE LA DATE DE LA FONDATION DU MONAS-*
tère de Sant Quirze dont l'abbé Manuel fit démolir l'ancien bâtiment pour ériger une église, consacrée en *935. Celle-ci fut agrandie à son tour sur un plan basilical inspiré de Sant Pere de Rodes, et plus tard, en 1123, rénovée encore.*
Sa structure, en pierre taillée, adopte donc le plan basilical mais tout en laissant plus étroits les collatéraux qui se trouvent dépassés par les extrémités du transept, sur lequel s'ouvrent trois absides. Les piliers cruciformes d'où s'élancent les doubleaux, élèvent la voûte centrale en demi-cercle et celle des collatéraux en quart de cercle, au-dessus d'une moulure en damiers qui souligne le point de naissance de ces voûtes et qui, à l'intérieur de l'abside, est soutenue par quatre colonnes. Bien que cette œuvre rassemblant les modalités de la région et celles propres au XIIᵉ siècle, échappe à la simplicité lombarde, elle conserve cependant les caractéristiques de cette école dans les saillies d'arcatures et de lésènes qui subsistent à l'extérieur des absides.

COANER

33

17 COLL DE NARGÓ. LA PAROISSE EST DÉDIÉE A SAINT CLÉMENT et il est question d'elle dès 839. L'église fut probablement rénovée au début du XIᵉ siècle sur le plan d'une seule nef avec abside dont les fondements sont demeurés à côté de l'église actuelle qui, elle, dut être construite vers la fin du siècle, sur un plan identique, recouverte d'une voûte semi-circulaire renforcée par des doubleaux. L'abside est ornée de doubles arcatures entre lésènes qui revêtent aussi le parement du mur occidental, au milieu duquel s'ouvre une fenêtre en forme de croix. Le clocher préroman présente un grand intérêt avec ses fenêtres simples en arc à fer-à-cheval. Un second étage lui fut ajouté à l'époque romane, muni de fenêtres triples à chacun de ses côtés.

18 CRUÏLLES. *LORSQUE L'ÉGLISE DU MONASTÈRE DE SANT Miquel fut consacrée en 904, ce fut à la suite d'une reconstruction. Sant Miquel garda son caractère monastique jusqu'en 1562, date à laquelle il vint à dépendre de Sant Pere de Galligans de Gérone. L'église romane d'un XIIᵉ siècle déjà avancé, adopta le plan basilical à piliers cruciformes et voûtes en berceau renforcées par des doubleaux, avec un transept dépassant comme dans les édifices de la région de Gérone, mais elle y ajouta une coupole, peu expressive à l'extérieur. Le reflet de l'art lombard se laisse entrevoir dans les arcatures qui décorent les absides. Une partie de la première travée, contiguë à la façade, fut victime d'un effondrement et dut être supprimée; la nef se trouva réduite lorsque la nouvelle façade fut construite. Dans l'abside centrale se conservent des restes de peinture avec des colonnes dissimulées entre les fenêtres, et dans le registre inférieur, des thèmes de lions inspirés d'anciens tissus, en plus d'une draperie qui formait la base de la décoration.*

19 ERM (EL). DANS LE TERRITOIRE DE LA TOSSA SUBSISTENT ENcore les ruines de l'église de Sant Pere del Erm, avec plan d'une nef avec transept et trois absides, celles-ci ornées de doubles arcatures entre lésènes. Le transept – seule partie conservée – a une voûte centrale refaite avec des nervures gothiques, peut-être en remplacement d'une coupole antérieure, ou tout au moins d'une voûte en berceau semi-circulaire, semblable à celles des côtés qui, eux au moins, conservent encore les moulures de roseaux entrelacés employées aussi dans la construction des arcs et des absides. C'est une des églises consacrées aux alentours de 1035, rebâties par le diacre Guillaume à qui avait été confié le repeuplement de la région.

20 ESTEMARIU. *D'APPARENCE ARCHAÏQUE PAR SUITE DE LA disposition de son plan plutôt que par sa structure, l'église Sant Vicenç conserve le plan basilical, couvert en bois, sans le moindre indice d'avoir possédé*

des voûtes. Des trois nefs se terminant en absi[de] n'existe plus la septentrionale non plus que s[a] absidiole. L'autre absidiole est absolument lisse [à] l'extérieur, tandis que l'abside centrale présente deu[x] arcatures entre lésènes qui encadrent les fenêtr[es] allongées, le tout selon un type qui est commun [à] toutes les églises locales durant le premier quart d[u] XIIᵉ siècle, et manifeste la survivance du style lombard[.] Provenant de cette église on conserve, au Musée d[e] Barcelone, un baldaquin peint du XIVᵉ siècle, conform[e] aux caractéristiques de la tradition romane.

FABREGUES. AU BORD D'UN PRÉCIPICE DOMINANT LA VALLÉE **2[1]** du Ter, près du château, une église consacrée [à] saint Jean en 961 fut rebâtie vers la fin d[u] XIᵉ siècle suivant un plan d'une nef à chev[et] triabsidal avec coupole. En 1418 elle souffr[it] des effets d'un tremblement de terre qui nécess[i]tèrent la restauration de la nef et sûrement aus[si] celle de la grande abside, alors remplacée pa[r] un autre type de sanctuaire. Les absidiole[s] recouvertes de plaques d'ardoise, présentent d[es] saillies de trois arcatures que l'on retrouv[e] également sur les murs inférieurs de la coupol[e] octogonale.

ESTAMARIU

FLUVIÀ. *LE MONASTÈRE BÉNÉDICTIN DÉDIÉ A SAINT MICHEL* **2[2]** *constitue un exemple de superposition de styles e[t de] modifications des constructions lors du passage d[e] l'esprit roman à d'autres. La fondation fut fai[te] en 1045 sur l'intervention d'Oliba, évêque de Vich [et] abbé de Ripoll; la construction avança très lentemen[t] sur un terrain dont la propriété fut pendant longtemp[s] objet de litige. En 1066 eut lieu une consécratio[n] qui peut donner la date des parties les plus ancienne[s] actuellement conservées. Celles-ci accusent un pla[n] basilical avec transept dépassant le corps des nef[s] et trois absides ornées d'arcatures lombardes. O[n] ignore les raisons pour lesquelles la construction fu[t] poursuivie avec des blocs ouvrés et adjonction d[e] colonnes en renfort des piliers. On ajouta égalemen[t] des colonnes dans le circuit intérieur de l'absi[de] centrale, le modifiant ainsi dans sa partie haut[e] après avoir ouvert de nouvelles fenêtres appuyées su[r] des colonnettes. Un clocher à tour carrée à quat[re] étages – où les éléments lombards réapparaissen[t] mais transformés – vint achever cette constructio[n.]*

FABREGUES

GALLIFA. DANS LES TERRES DU CHATEAU DE GALLIFA FURENT **2[3]** érigées trois églises dont la construction s'étag[e] sur peu d'années entre la fin du XIᵉ siècle et l[e] début du XIIᵉ. Ce sont des petites chapelle[s] à une nef avec abside, dont la plus caractéris[-] tique est l'église paroissiale Sant Pere, à chev[et] triabsidal avec deux petites absidioles opposée[s] qui s'insinuent à peine à l'extérieur pour rece[-] voir les arcatures typiques, divisées par d[es] lésènes.

GALLIFA

24 GRANOLLERS DE LA PLANA. ELLE EST DÉDIÉE A SAINT *Étienne et fut consacrée en 1088 dans un domaine adjugé au monastère de Ripoll. L'église n'a qu'une nef aux gros murs d'appareil uniforme, voûtée en berceau semi-circulaire sur doubleaux. L'intérieur de l'abside, creusé de cinq niches, est une copie d'El Brull et de Sescorts, et les fenêtres aveugles sous triples arcatures qui ornent l'extérieur, couronnées par une frise en dents de scie, sont une réplique de celle de Vilalleons. Les arcatures se continuent sur les murs latéraux. Il est probable que les deux chapelles, ouvertes sur chaque côté de l'abside, ont remplacé les absidioles. Ainsi le chevet aurait été triabsidal. Trois fenêtres, situées dans la partie basse de l'abside, laisseraient supposer l'existence d'une crypte aux dimensions réduites.*

25 GRAU D'ESCALES. DANS LA CONTRÉE DE BERGUEDÀ, EN 913, le prêtre Magnolf fit construire l'église dédiée à saint Pierre afin d'y constituer un monastère bénédictin qui, en réalité, ne fut érigé qu'en 960 par Wisado, évêque d'Urgell. La première église exista jusqu'à la fin du XIe siècle et fut remplacée alors par une construction, restaurée récemment, à plan cruciforme à trois absides et coupole octogonale pourvue de quatre fenêtres. La structure des murs, dans son austère rusticité, n'admet qu'une frise d'arcatures sur les absides.

26 MADRONA. *L'ÉGLISE DU CHA-TEAU DÉDIÉE A SAINT PIERRE devint propriété de Solsona en 1102 par donation du comte d'Urgell. A cette époque elle dut être bâtie sous l'influence des formes lombardes de la région. Elle comprend une nef, construite en petits blocs soignés, et une abside, décorée avec des doubles arcatures qui reposent sur des demi-colonnes. Elle avait une crypte dont les chapiteaux sont conservés au Musée diocésain de Solsona. Sur l'un d'eux on peut lire le nom du sculpteur :* MIRUS ME FECIT.

27 MALLA. PRÈS DU CHATEAU D'URSAL, DÉNOMMÉ POSTÉRIEU-rement Malla, fut érigée une église dédiée à saint Vincent. Vers 1078 un nouvel édifice était en construction; il comprenait trois nefs divisées par trois arcatures, dont seule la travée contiguë au chevet paraît avoir été recouverte d'une voûte d'arêtes, tandis que le reste le fut peut-être d'armature en bois. Celle-ci aurait été remplacée dans la nef principale par des voûtes en berceau avec doubleaux vers 1191, lorsque l'on consacra un autel à la Vierge, et que l'on mit en place un portail sculpté, en même temps que l'on érigeait sur la dernière travée de la nef septentrionale un clocher sans caractère marquant. De profondes modifications opérées à différentes époques remplacèrent les piliers par de grandes arcades et le sens de l'église fut inversé par la construction, en lieu et place de l'abside centrale, d'un corps d'édifice servant d'entrée. La rusticité de la structure n'entache

GRANOLLERS

MONTMAJOR

MONTSERRAT

35

pas l'élégance des deux absidioles décorées avec des saillies de deux arcatures entre lésènes et couvertes d'un toit d'ardoise.

MONTGRONY. *LA PERSISTAN-CE STYLISTIQUE DES MANIÈRES* **28** *lombardes, exécutée toutefois selon la structure murale soignée qui se diffuse avec le roman, subsiste encore dans l'église Sant Pere qui dut être bâtie vers 1138 dans un lieu appartenant au monastère de Sant Joan de les Abadesses. Elle est à une nef avec chevet triabsidal et sans coupole. Les absidioles, d'espace beaucoup plus réduit que l'abside, sont décorées comme celle-ci de trois arcatures divisées par des lésènes. Le côté donnant sur le Midi est orné d'un portique couvert, reposant sur trois arcades.*

MONTMAJOR. *L'INFLUENCE LOMBARDE EST SENSIBLE DANS* **29** l'église Sant Sebastiani, bâtie sur un plan caractéristique du premier quart du XIIe siècle, et formé par une nef, adaptée à un transept spacieux doté d'une coupole à la base d'un clocher et sur lequel s'ouvrent cinq absides. Celle du milieu est semi-circulaire à l'intérieur, et enserrée à l'extérieur dans un corps carré, décoré d'arcatures entre lésènes. De chaque côté du fond du transept et aux extrémités de celui-ci se trouvent des absidioles ornées de saillies d'arcatures. La coupole, qui soutient le court clocher à un étage avec fenêtres jumelées, émerge à peine du transept.

MONTSERRAT - SANTA CECILIA. *EN 942 FUT FAITE L'ACQUISI-* **30** *tion d'une vieille église et de son domaine avec l'intention d'y établir, trois ans plus tard, un monastère où résida comme abbé son fondateur Cesari, personnage qui essaya de restaurer la province ecclésiastique de Tarragone. Assujettie à l'évêque de Vich et sous la protection de la comtesse Riquilde, l'église fut restaurée et consacrée en 957. Celle-ci n'est pas l'église actuelle : cette dernière fut érigée plus tard, selon le style des constructions lombardes. Le plan inscrit dans une aire presque rectangulaire comprend trois nefs se terminant par des absides et recouvertes de voûtes semi-circulaires parallèles qui forment le double versant de la toiture. Mais, à la différence des basiliques, les collatéraux sont plus courts et communiquent avec la nef principale par le moyen d'une seule arcade, se rapprochant en ceci du plan d'une nef transept. L'extérieur des absides est décoré de saillies à double arcature et les fenêtres sont construites à double ébrasement.*

MUR. *L'ÉGLISE SANTA MARIA, FONDÉE PAR LES COMTES DE* **31** Pallars, fut consacrée en 1069 pour une communauté qui, vers la fin du siècle, resta assujettie à la règle de saint Augustin. Avec cet édifice le style lombard pénètre dans les terres occidentales pour y laisser l'exemple d'une basilique à trois nefs avec absides ornées de saillies en groupes d'arcatures. La nef septentrionale est actuellement en ruines au milieu de l'ensemble fortifié où reste un cloître, d'époque postérieure. La décoration peinte provenant de l'abside centrale est conservée au Musée de Boston. Sur la partie haute de cette décoration est représenté le Pantocrator dont l'auréole supporte les sept lampes, entouré par le tétramorphe. Sur la partie inférieure se trouve la série des apôtres debout et des figures d'atlante dans l'intrados des fenêtres, en plus des figures de Caïn et Abel, et sur la partie la plus basse, des scènes de la vie de la Vierge.

32 OLIUS. *L'ÉGLISE DÉDIÉE A SAINT ÉTIENNE EXISTAIT DE-puis le Xe siècle dans le château où le comte d'Urgell eut un de ses palais. Les fidèles la démolirent pour en ériger une autre plus belle, consacrée en 1079 par l'évêque Bernard d'Urgell. Elle comprend une nef avec voûte en berceau se terminant par une abside décorée à l'extérieur de trois arcatures entre lésènes. L'intérieur de cette abside est précédé d'un sanctuaire avec interposition de deux formerets appuyés sur des demi-colonnes réalisées en petits blocs. Au-dessous de cette enceinte s'étend une crypte semblable à celle de Cardona, recouverte de voûtes d'arêtes sur colonnes. Elle est d'époque très antérieure au clocher.*

33 ORGANYA. LES SEIGNEURS DE LA VALLÉE DE CABO FURENT les protecteurs de l'église Santa Maria construite pendant le pontificat de saint Ermengol, évêque d'Urgell, à l'intention d'une collégiale. Mais de longues années passèrent pendant lesquelles elle fut injustement accaparée et ses rentes dilapidées, jusqu'à ce qu'un incendie l'endommagea, consumant l'autel et le coffre qui contenait les ornements sacrés, les livres et les Écritures. Cela motiva une rénovation de l'église qui fut consacrée en 1090, en même temps qu'on y établissait un canonicat augustinien tandis que Guitard, petit-fils d'Isarn, dotait à nouveau la fondation. Bien qu'actuellement elle soit très modifiée, elle répond cependant au plan basilical de trois absides sur lesquelles apparaissent de doubles arcatures entre lésènes qui s'étendent sous une corniche formée par des dents d'engrenage. Au début du XIIIe siècle on lui ajouta un portail.

34 PALAU DE RIALB. *LE PLAN BASILICAL TRACÉ DANS UN carré est partagé, par quatre piliers cruciformes, en trois nefs sur lesquelles s'ouvrent les absides. L'austère fonctionnalisme intérieur aux murs lisses, contraste avec l'extérieur où des arcatures se suivent et s'étendent comme une frise le long du mur de la nef centrale. Elles se reproduisent en haut des collatéraux, divisées en groupes de quatre par des lésènes qui partent d'un socle. Les absidioles conservent la même saillie mais en groupes de trois arcatures qui se réduisent à deux sur l'abside centrale pour abriter une galerie de fenêtres aveugles sous une frise de dents d'engrenage.*

PALAU DE RIALB

PONTS

36

Un clocher actuellement tronqué accompagnait cette église dont le style se rattache tout à fait à celui de Cardona.

35 PALAU SAVERDERA. *TRÈS TRANSFORMÉE INTÉRIEURE-ment l'église Sant Joan suit le plan basilical. Des piliers soutiennent la voûte semi-circulaire de la nef centrale et celles, en quart de cercle des collatéraux. Seules les absides présentent des doubles arcatures entre lésènes qui, sur l'abside centrale, abritent en outre des fenêtres aveugles, plus grandes qu'à l'accoutumée.*

36 PONTS. *NOUS SAVONS QU'EN 948 EUT LIEU LA CONSÉCRATION d'une église dédiée à saint Michel dans le village de Ponts, église qui fut probablement remplacée par l'édifice actuel en ruines, dédié à saint Pierre au début du XIIe siècle, comme on peut le déduire de l'appareil parfait des blocs ouvrés qui forment sa structure. Son intérêt ne réside pas dans le plan d'une nef à voûte en berceau semi-circulaire sur doubleaux se terminant par un chevet triabsidal et comportant une coupole octogonale très élevée, car en tout ceci, y compris les trois absidioles qui s'ouvrent sur le demi-cercle de l'abside centrale comme à Cervello, elle suit un modèle très répandu, mais là où son intérêt réside surtout, c'est dans les réminiscences du style lombard qui modèlent les saillies ornant les murs extérieurs à simples arcatures, ininterrompues sur le mur méridional, mais divisées par des lésènes sur les autres ainsi que sur les absides où, de plus, apparaissent les fenêtres aveugles.*

37 RIUDEPERES - SANT MARTÍ. *CONSTRUITE AUX ALENTOURS de 1050, l'église Sant Martí est contemporaine de l'église Sant Ju de Vilatorta consacrée à cette même date. Elle comprend une nef pourvue d'une abside et sans doubleaux. Au XIIe siècle elle fut agrandie à l'extrémité occidentale par la construction d'un portique qui, plus tard, fut incorporé à la nef, combiné avec un portail dont il reste encore des fragments. L'extérieur de l'abside et les murs latéraux sont décorés de doubles arcatures entre lésènes. La tour du clocher est de construction très postérieure.*

38 RIUDEPERES - SANT TOMÀS. *OUTRE L'ÉGLISE DÉDIÉE A saint Martin il existe, dans les environs, celle du prieuré de Sant Tomàs consacrée en 1095, destinée à réunir un chapitre d'augustins qui subsista jusqu'en 1560, date à laquelle fut décrétée son extinction. Disposée en forme de croix avec une seule nef, un transept avec coupole et trois absides, sa construction manifeste une perfection soignée qu'on ne peut apprécier de l'extérieur depuis que l'édifice est resté enveloppé dans une réadaptation de la fin du XVe siècle, qui a supprimé les absidioles.*

39 *RIUSEC. L'ÉGLISE FUT CONSA-CRÉE A SAINT PAUL EN 1054.*
C'est une construction rustique et simple comportant une nef terminée par une abside à décors d'arcatures, nef dont le mur occidental est perforé par une fenêtre jumelée.

40 *ROSES. LE MONASTÈRE FUT RESTAURÉ VERS LE MILIEU*
du Xe siècle ainsi qu'une petite église dédiée à sainte Marie sur le littoral du golfe de Roses. Celle-ci s'agrandit selon un plan basilical avec transept dépassant les murs. La date possible de la consécration de cette nouvelle église a été fixée à 1022. Dans ce cas elle serait une des manifestations les plus avancées de la manière lombarde, avec niches à l'intérieur de l'abside et arcatures entre lésènes à l'extérieur, sans entrer cependant encore dans son fonctionnalisme-type par suite de tout ce qui, en elle, trahit le sens décoratif tellement enraciné autour de Sant Pere de Rodes; emploi de colonnes comme encadrement des niches de l'abside, arcades le long des murs latéraux. Celles-ci étaient recouvertes d'une voûte en quart de cercle renforcée par des doubleaux semi-circulaires. L'état progressif des ruines ne permet pas un examen plus approfondi de la double influence qui alterna dans son architecture. Son plan se répète dans la région.

41 *ROTGERS. ISOLÉE AU MILIEU DES BOCAGES DANS LE TERRI-*
toire de Borredà, où au IXe siècle existait le palais de Rodgari avec une église donnée à Ripoll en 888, la petite église Sant Sadurní est une œuvre gracieuse par la limpidité de sa structure et sa conservation. Elle comprend une nef voûtée avec abside à doubles arcatures entre lésènes, et un clocher dressé sur la voûte, au pied de l'édifice, avec une seule fenêtre sur chacune des faces du premier étage, et une fenêtre jumelée partagée par une colonne, sur celles du second étage.

42 *SAGARS. L'ÉGLISE SANT ANDREU EST D'UN VASTE*
plan basilical qui est encore visible en dépit des profondes transformations apportées par les voûtes d'arêtes modernes couvrant les collatéraux, et par la triste coupole qui vient briser la continuité du berceau de la nef centrale, élevée sur piliers à base rectangulaire. Le toit de celle-ci s'élève au-dessus des collatéraux. A l'extérieur, les murs sont décorés d'arcatures et de lésènes qui, sur l'abside centrale, abritent des fenêtres aveugles au milieu de chaque parement formé par deux arcatures.

43 *SALOU. PAR LE TESTAMENT DU COMTE MIRO DE CERDAGNE-*
Besalú en 926, le franc-alleu de Salou et l'église dédiée à saint Cugat sise près de Castelladral, passèrent aux mains du monastère de Ripoll. Sous la poussée de ce monastère une nouvelle église fut érigée vers le dernier tiers du XIe siècle. Si dans son plan cruciforme elle s'est inspirée de vieux modèles, tel celui de Sant

Pere de les Puelles de Barcelone, adopté déjà à Sant Daniel de Gérone vers 1020, dans la structure par contre, elle s'en écarte avec un transept à trois absides et se rapproche des formes décoratives lombardes avec des saillies d'arcatures entre lésènes sur les parements des murs extérieurs, comme à Cardona, et avec des fenêtres aveugles qui, de même qu'à Frontanyà, entourent ici le mur circulaire de la coupole. Celle-ci se dresse au croisement des voûtes en berceau qui couvrent les bras de la croisée du transept sous une toiture à deux versants. Les absidioles étaient lisses extérieurement, à la différence de l'abside centrale, ornée d'arcatures. Cette œuvre de maître fut répétée à la même époque dans une autre église de la circonscription de Salou, dédiée à saint Mathias à l'endroit appelé Les Iglesies, et dont on n'a conservé que le bras du côté de l'évangile avec son absidiole.

44 *SASSORBA. L'ÉGLISE RURALE PRIMITIVE DÉDIÉE A SAINT*
Julien, mentionnée à partir du Xe siècle, fut abandonnée par suite de la construction, au milieu de la paroisse, d'une autre église qui fut consacrée en 1091. Il en reste la nef, aux murs massifs, renforcés par deux doubleaux, dont le chevet a été remplacé par des constructions venues prendre la place des trois absides. Il n'y avait pas de transept et les absidioles s'ouvraient l'une en face de l'autre sur la nef. La présence de saillies avec arcatures — qui forment la frise extérieure des murs — situe la structure dans la tradition de la plaine de Vich, affirmation que vient confirmer le clocher accolé au milieu du mur septentrional. Ce clocher est un tour carrée à haute base et trois étages ornés d'arcatures qui encadrent une simple fenêtre sur chaque face de l'étage inférieur et des fenêtres jumelées partagées par une colonne sur les faces de l'étage supérieur. Quelques-unes de ces fenêtres sont actuellement transformées ou murées.

45 *SAVASSONA. L'ÉGLISE SAINT-PIERRE, TOUT PRÈS DU CHATEAU*
qui fut l'une des résidences des vicomtes d'Ausona, seigneurs de Cardona, est l'œuvre des équipes de constructeurs que ces seigneurs employaient pour leurs édifices religieux. Elle est comme un modèle réduit de l'église d'El Brull car elle présente : une nef avec voûte en demi-cercle sur deux doubleaux, une abside avec cinq niches intérieures, une petite absidiole latérale à laquelle fait pendant, de l'autre côté, une ouverture qui correspondrait plutôt à la tour d'un clocher comme il en existe à Tavèrnoles, qu'à une autre absidiole. Les murs extérieurs sont sillonnés par les lésènes qui séparent des séries de trois et de quatre arcatures sur le mur du Midi où se trouve la porte, des séries de six et de sept arcatures sur le mur septentrional, des séries de quatre arcatures sur la grande abside, et onze arcatures sur le mur

ROSES

SALOU

SAVASSONA

occidental, tandis que la petite absidiole reste lisse. Cette œuvre dut être finie en 1069, moment où elle reçut un legs destiné à sa consécration.

46 SERAROLS. *L'ÉGLISE SAINT-MICHEL EST L'ÉGLISE RURALE type à une nef terminée par une abside. Elle se dresse au sommet d'une colline à quelque cinq cents mètres des restes du château. Sa structure s'est conservée intacte, exception faite du corps de sacristie adossé au mur méridional au XVIIᵉ siècle, et du renouvellement de la voûte par surhaussement de la toiture à une date postérieure. L'intérieur, divisé par des doubleaux, présente, dans la travée précédant le sanctuaire, une niche de chaque côté en guise d'absidioles atrophiées comme à Rodes et à Savassona, et des arcatures entre lésènes qui décorent l'extérieur de l'abside et la moitié du mur septentrional. La porte, avec double saillie sur arc en douelle en plein cintre, conserve les battants en rouvre garnis de pentures de fer, terminées en double spirale.*

47 SERRATEIX. *DANS LA PREMIÈRE MOITIÉ DU IXᵉ SIÈCLE FROILA ET d'autres se réunirent pour mener la vie monastique dans une église dédiée à sainte Marie. La fondation en fut consolidée par l'appui des comtes de Cerdagne en 977. Un siècle plus tard, en 1077, on commença l'église actuelle dont l'œuvre se prolongea et ne permit d'effectuer la consécration qu'en 1126. Le plan initial était d'une longue nef avec transept et trois absides; mais les absides latérales ayant disparu, absorbées par d'autres constructions qui modifièrent le transept, il n'est pas possible de savoir si celui-ci était primitivement couronné d'une coupole, comme on pourrait le supposer. Par contre il y avait une crypte et dans son ensemble le plan rappelait celui de la cathédrale de Vich. La saillie de deux arcatures entre lésènes marque cette partie de l'œuvre de l'influence lombarde.*

48 SESCORTS. *L'ÉGLISE CONSACRÉE A SAINT MARTIN EN 1068 correspond à l'école caractéristique de la plaine de Vich, attachée aux œuvres de la maison des seigneurs de Cardona, vicomtes d'Ausona. Elle est à une nef avec transept flanqué de trois absides, et à voûtes semi-circulaires parallèles, dont celle du milieu est renforcée par des doubleaux. L'intérieur de l'abside centrale est creusé de cinq niches entre lesquelles se dessinent trois fenêtres aveugles, et son extérieur, de même que celui des absidioles, est décoré de saillies d'arcatures entre lésènes qui se reproduisent sur les murs du transept, tandis que sur ceux de la nef s'étend une galerie de fenêtres aveugles. La structure, parfaite dans sa simplicité, n'est altérée que par des corps de construction surajoutés, et par le mur occidental rénové pour permettre l'appui d'un clocher, à une époque postérieure. Au Musée épiscopal de Vich on conserve quelques fragments des peintures qui décorèrent les niches de l'abside et où se voient*

SERRATEIX

SESCORTS

TAVERNOLES

38

des scènes du cycle du péché originel et des thèmes de la vie de saint Martin.

49 TAVÈRNOLES. *A TAVÈRNOLES, PAROISSE DE LA PLAINE DE Vich, se trouve un gracieux modèle d'église à nef unique. Elle est dédiée à saint Étienne et fut érigée par les vicomtes d'Ausona vers 1069. Neuf ans plus tard fut reconnu par l'évêque Berenguer comme propriété du vicomte Raymond Folc qui en fit don au chapitre de Vich en 1086. Malgré l'adjonction de quelques chapelles et le haussement de la couverture qui eut lieu en 1728, en même temps que la construction d'une nouvelle porte, elle conserve toute la saveur de sa structure originale, avec son appareil soigné dans la nef, voûtée sur deux doubleaux, et dans la haute abside à trois fenêtres. Une frise de fenêtres aveugles parcourt l'extérieur des murs latéraux et s'étend jusque sur l'abside sous des arcatures lombardes. La porte primitive qui s'ouvrait sur le mur méridional est à présent murée; un svelte clocher est adossé à ce même mur; il présente deux étages au-dessus de la toiture de l'église, soulignés par des frises à dents de scie et encadrés par trois arcatures avec fenêtres jumelées partagées par des colonnes. De même que l'abside, la couverture en pyramide conserve encore des plaques d'ardoises.*

50 TAVÈRNOLES. *ON SAIT QU'EN 806 UNE ÉGLISE DÉDIÉE A saint Saturnin existait dans l'actuel village d'Anserall près de la frontière d'Andorre. Son origine monastique lui valut des donations de la part des comtes de Cerdagne et plus tard de la part de ceux de Barcelone et d'Urgell. L'église fut reconstruite et consacrée avant 1040 par Eriball, évêque d'Urgell. Seuls le chevet avec le transept et une partie des murs, se trouvent encore debout, le reste de l'édifice étant tombé en ruines. Le plan basilical à trois nefs divisées par des piliers carrés était recouvert de voûtes dont celle du milieu était partagée par des doubleaux. Les murs latéraux étaient ornés de formerets à l'intérieur. La singularité de la construction réside dans le transept dont les extrémités de bras se terminent par des sortes d'absides assorties au gracieux chevet en forme triconque, développé au fond d'un espace rectangulaire qui comprend, adhérant au côté de l'épître, la base circulaire de la tour du clocher. Les trois absides s'ouvrent sur le demi-cercle qui clôture la nef principale; celles des côtés ont les mêmes proportions tandis que celle du milieu, plus développée à l'extérieur, forme intérieurement un espace rectangulaire réduit, couvert de voûtes d'arêtes, avec trois absidioles ménagées dans l'épaisseur du mur. L'élégante distribution des masses dans les absidioles qui jaillissent de l'abside centrale, se conjugue avec la diversité de hauteur existant entre la nef et les absides qui achèvent le transept, pour donner à cet édifice une noblesse originale résultant de la fusion d'éléments variés. La structure, construite selon la manière* *lombarde type, n'échappe pas, malgré la stricte servitude fonctionnelle qui l'anime, comme du reste les œuvres les plus caractéristiques, aux saillies d'ornement extérieur constituées par des petites arcatures divisées par des lésènes s'étendant sous les avant-toits aux absides sur tous les murs. Une simple fenêtre à double ébrasement perfore le fond de chaque abside.*

51 TERRASSA. L'ÉGLISE SANTA MARIA RENFERME ENCORE LES

vestiges d'un lieu dédié au culte à partir du IVe siècle. Celui-ci connut les vicissitudes du centre épiscopal d'Egara qui entraînèrent des agrandissements, des destructions et la survivance finale d'une abside rectangulaire à l'extérieur et en arc en fer-à-cheval à l'intérieur. La voûte de cette abside est décorée de registres concentriques dans lesquels on devine à peine les figurations des thèmes. Le reste de cette église, consacrée en 1112 au service d'un chapitre d'augustins, se compose d'une nef à voûte en tiers-point et d'un transept surélevé par une coupole, sur lequel s'appuie la tour du clocher. On n'a pas conservé les absidioles qui devaient se trouver de chaque côté de l'abside centrale. Sur l'extérieur des murs de l'édifice on constate la présence des éléments d'ornements lombards, qui disparaissent par contre sur les parties hautes à proximité de la tour. Dans une absidiole creusée dans le mur du fond du transept durant le dernier quart du XIIe siècle, se trouve un autel dédié à saint Thomas de Canterbury; trois scènes du martyre de ce saint sont représentées au-dessous de la figure du Pantocrator qui lui-même touche les têtes du martyr et de son diacre avec deux livres. Cette œuvre picturale est attribuée au maître d'Espinelves.

52 TERRASSOLA. *A UNE ÉPOQUE ANTÉRIEURE A 927, IL EXIS-*

tait en ce lieu une église dédiée à saint Félix, construite au sommet d'une colline. Elle fut totalement rénovée en 1093 et adopta alors le plan basilical à trois nefs avec absides, séparées par trois arcs appuyés sur des piliers massifs qui soutiennent une voûte en berceau ininterrompu dans la nef principale et reposent sur des doubleaux dans les nefs latérales. Au XIIIe siècle on lui adjoignit un clocher fortifié. De profondes transformations, opérées en 1787, ont changé l'aspect de l'édifice : la nef latérale du côté droit a été amputée et le sens de l'église a été inversé par suite de la construction d'une porte d'accès et d'une façade en lieu et place de l'abside centrale.

53 TONA. CONSACRÉE EN 889, A PEINE RESTAURÉ LE DIOCÈSE

d'Ausona, l'église primitive de Sant Andrés érigée par les habitants du territoire du château, subsista jusqu'au XIe siècle dans sa forme rustique à toiture de bois. La nouvelle bâtisse, construite à partir des fondements avec des moellons en petites pierres, se trouve parmi les

premières églises du style lombard. Une profusion d'arcatures jumelées divisées par des lésènes envahit tous les murs de l'enceinte à nef unique et entoure également l'abside. Au XIIe siècle cette construction dut être appuyée par un doublage de murs, formant renfort sans doute afin de soutenir la voûte. La porte méridionale fut déplacée alors vers le milieu de la nef.

54 TORELLO. *LE CLOCHER DE CETTE ÉGLISE DÉDIÉE A SAINT*

Vincent présente plus d'intérêt que l'église elle-même. Celle-ci se compose d'une nef avec voûte en berceau ininterrompu, terminée par une abside, à proximité de laquelle se trouvent deux arcades engagées dans le mur et un portique ajouté au XIIIe siècle qui, en 1624, fut incorporé à l'église dans le dessein de l'agrandir. Le clocher est une tour élégante qui comprend une base haute et trois étages; les parements sont divisés par des frises en dents de scie qui montrent sur chaque face des saillies de quatre arcatures à l'intérieur desquelles s'ouvre, au premier étage, une simple baie, et, aux étages supérieurs, des fenêtres jumelées, partagées par des colonnes à chapiteaux trapézoïdaux.

55 TORRELAVID. C'EST UNE ŒUVRE EXÉCUTÉE AVEC APPAREIL

parfait, en blocs ouvrés, qui accuse les méthodes du début du XIIe siècle; elle conserve cependant la structure et des détails du type architectural antérieur, de plan triconque avec absides décorées de triples arcatures entre lésènes, et nef aux murs lisses comme ceux du dôme qui couvre la coupole, élevée sur trompes au milieu du transept.

56 URGELL. *AU DÉBUT DU XIe SIÈCLE L'ÉVÊCHÉ D'URGELL*

avait comme cathédrale un ensemble formé par les trois églises des temps antérieurs : la plus grande dédiée à sainte Marie, celle de Sant Pere et celle de Sant Miquel. Cette dernière fut rebâtie par l'évêque saint Ermengol en 1035 et dotée par l'institution testamentaire d'un chapitre qui devint augustinien avant 1095. Au XIVe siècle elle passa aux dominicains tandis que le titre primitif de Sant Miquel fut repris par l'église Sant Pere. Cette dernière est probablement celle qui fut rénovée par l'évêque Eriball lorsqu'en 1040 il procéda à la consécration des œuvres réalisées à Sainte-Marie, vieille construction qui ne fut remplacée que le siècle suivant. A cette période-là appartient le transept avec trois absides ornées de saillies typiques d'arcatures lombardes. Les murs de la nef, voûtée en berceau, renforcée par des doubleaux et qui plus tard fut prolongée en avant, ne coïncident pas exactement avec le transept. On conserve au Musée de Barcelone les décorations murales du XIIe siècle provenant de l'abside de cette église. Elles représentent le Pantocrator au milieu des évangélistes et, au registre

TAVERNOLES

(suite à la page 44)

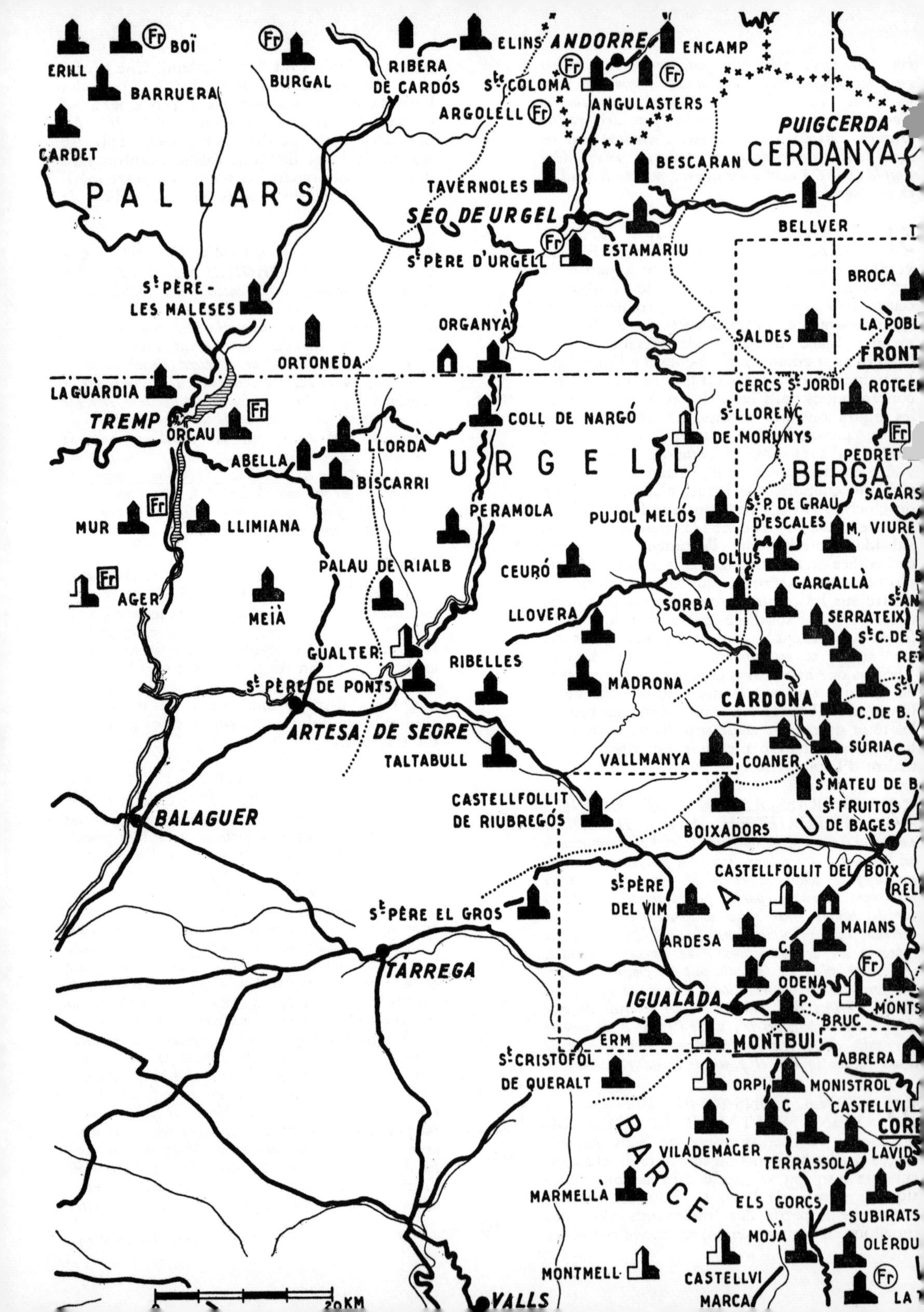

BOÏ (Fr)
ERILL
BARRUERA
BURGAL (Fr)
CARDET
RIBERA DE CARDÓS
ELINS
ANDORRE
ENCAMP
St COLOMA (Fr)
ARGOLELL (Fr)
ANGULASTERS
BESCARAN
PUIGCERDA
CERDANYA
PALLARS
TAVÈRNOLES
SEO DE URGEL
St PÈRE D'URGELL (Fr)
ESTAMARIU
BELLVER
BROCA
LA POBL
FRONT
SALDES
St PÈRE-LES MALESES
ORGANYÀ
ORTONEDA
CERCS St JORDI
ROTGE
LA GUÀRDIA
TREMP
ORCAU (Fr)
COLL DE NARGÓ
St LLORENÇ DE MORUNYS
PEDRET
ABELLA
LLORDA
BISCARRI
URGELL
BERGA
SAGARS
(Fr)
PERAMOLA
PUJOL MELÓS
St P. DE GRAU D'ESCALES
M. VIURE
MUR (Fr)
LLIMIANA
PALAU DE RIALB
CEURÓ
OLIUS
GARGALLÀ
SERRATEIX St AN
AGER (Fr)
MEIÀ
LLOVERA
SORBA
St C. DE S
RE
GUALTER
RIBELLES
MADRONA
CARDONA
St V
C. DE B.
St PÈRE DE PONTS
SÚRIA
ARTESA DE SEGRE
TALTABULL
VALLMANYA
COANER
St MATEU DE B
St FRUITOS DE BAGES
BALAGUER
CASTELLFOLLIT DE RIUBREGÓS
BOIXADORS
CASTELLFOLLIT DEL BOIX
REL
St PÈRE EL GROS
St PÈRE DEL VIM
MAIANS
ARDESA
C.
ODENA
(Fr)
TÀRREGA
IGUALADA
P.
MONTS
BRUC
ERM
MONTBUI
ABRERA
St CRISTÒFOL DE QUERALT
ORPI
MONISTROL
C
CASTELLVI
CORB
VILADEMÀGER
TERRASSOLA
LAVID
BARCE
MARMELLÀ
ELS GORCS
SUBIRATS
MOJA
OLÈRDU
MONTMELL
CASTELLVI MARCA
VALLS
(Fr)
LA
20 KM

RÉGION DES PYRÉNÉES

FRANCE

PLANÈS
RIBES
US
MONTGRONY
SURROCA
A. C.
RIPOLL
ES LLOSSES
L.
B.
St A
S.
L.P
G.
LLUÇÀ
VINYOLES
LLANARS
ORDEIG
D.
CASSERRES
S.
SASSERRA
V.
VICH
T.
R.
AVINYÓ
St JOAN
D'OLÓ
SOLA
BALENYA
TELLCIR
Fr
RANERA
ALLIFA
P.
MONTMAJOR
RENC
EL MUNT
Fr
ASSA
Fr
B.
R.
Fr
St ISCLE
St ADJUTORI
St CUGAT DEL
VALLÈS
ELLO
St CLIMENT

BAGET
SEGÚRIES
SOUS
BESALÚ
VALLFOGONA
OLOT
COVIDASES
CAMPMAJOR
F. ALGARS
CABRERA
LLORET
S. V. TORELLÓ
Fr
SESCORTS
FÀBREGAS
S.C.V
AMER
F.
T.
S.
QUERÓS
Fr
OSORMORT
V.
ESPINELVES
M.
T.
B.
T.
V.
CERDANS
SÈVE
Fr
BRULL
A.
BREDA
GUALBA
MOVA
MONTSENY
FAI
SAMALÚS
St PÈRE
DE RIU
S.
PARETS
MARATA
CLARÀ
LA ROCA
St POL DE MAR
MONTMELÓ
St P.
REIXAC

CULERA
PERALADA
PALAU SAVERDERA
VILANOVA
Fr
ROSES
FIGUERAS
NAVATA Fr
FLUVIÀ
EMPURIES
MARENYA
Fr
BANYOLES
Fr
EL TERRI
BELLCAIRE
CANET
D'ADRI
PEDRINYA
Fr
Fr
St DANIEL
CRUÏLLES
GIRONA
GIRONA
St SADURNI
MASSANET DE LA SELVA

St PAU DEL CAMP
BARCELONE

Légende

🏛	Église romane	🏛	Portail roman
🏛	Église romane avec crypte	⛪	Cloître roman
🏛	Église en partie romane	**CARDONA**	Édifice étudié
🏛	Clocher roman	......	Comtés
Fr	Fresques romanes en place	+++	Frontières naturelles actuelles
Fr	Fresques romanes aux musées		

RÉGION PYRÉNEENNE VOIR A LA PAGE SUIVANTE _ . _ . _ .

RÉGION DÉTAILLÉE DE VICH A LA SUITE _ _ _ _ _ _ _

RÉGION DES PYRÉNÉES

SON ISIL ESCALARRE CASELLES

TAULL ANEU (Fr) Fr

ERILL BOÏ ESTAON Fr ELINS BONS ENCAMP S⁺PÈRE D'
(Fr) (Fr) GRAU D'ESC
BARRUERA BURGAL RIBERA Fr Fr
DE CARDOS S⁺ᵉ COLOMA
CARDET ARGOLELL (Fr) ANGULASTERS

BESCARAN

TAVERNOLES BELLVER
S⁺ PÈRE DE SEO DE URGEL
LES MALESES (Fr) ESTAMARIU
S⁺PÈRE D'URGELL GARGAN

ORGANYA SALDES
ORTONEDA
0 20 KM CARDON

COANER

S⁺MATEU DE BAG

CASTELLFOLLIT BOIXADORS
DE RIUBREGÓS

COMPLÉMENT ET PARTIE
DÉTAILLÉE DE LA
CARTE PRÉCÉDENTE

S⁺PERE DESVIM CASTELLFOLLIT
DEL BOIX

ARDESA M

S⁺JAUME
CASTELLOLI

S⁺PÈRE LA PO
DE L'ERM DE CLAR

LA TOSSA DE MONTBUI
ORPI
S⁺CRISTÒFOL DE QUERALT

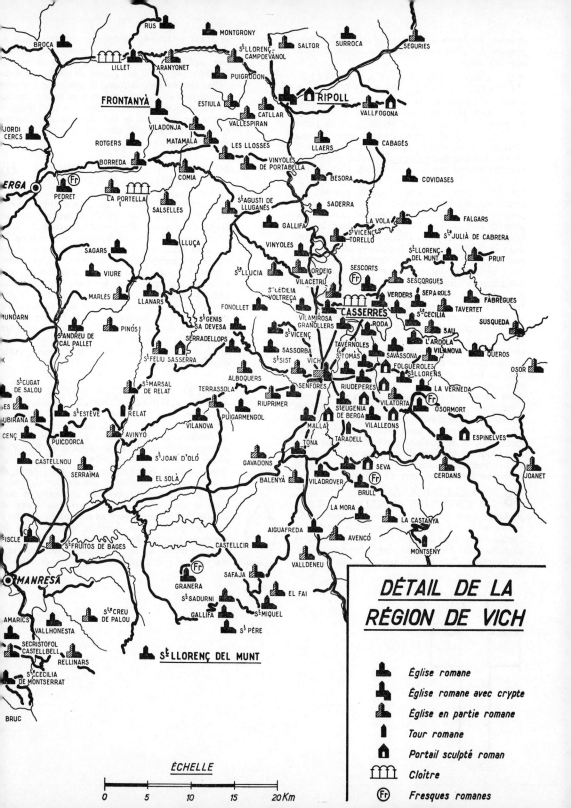

DÉTAIL DE LA
RÉGION DE VICH

Église romane
Église romane avec crypte
Église en partie romane
Tour romane
Portail sculpté roman
Cloître
(Fr) Fresques romanes

ÉCHELLE

0   5   10   15   20 Km

inférieur, les figures des Apôtres et celle de la Vierge groupées par deux dans chacun des espaces compris entre les fenêtres.

57 *VICH.* DE LA CATHÉDRALE, CONSTRUITE PAR L'ÉVÊQUE Oliba, consacrée en 1038 et démolie en 1781, il ne reste plus que la crypte et le clocher. Le plan de l'édifice, d'une nef de 10 m. de large et 38 m. de profondeur, avec un transept qui formait un chevet comprenant une immense abside centrale entre deux absidioles, fut continué après 1038 par la construction d'un dôme, vers 1049, et l'achèvement du clocher vers 1064. La décoration picturale exécutée pendant le siècle suivant se conserva en grande partie jusqu'à la démolition de l'édifice. Le cloître primitif était constitué de portiques aux simples arcatures. La crypte, découverte en 1943 et dont les voûtes ont été restaurées alors, occupait l'enceinte de l'abside centrale divisée en trois nefs par des colonnes ayant appartenu aux constructions antérieures. Il en est de même d'ailleurs des chapiteaux, de style califal. Les escaliers d'accès primitifs ont disparu lorsque, au XIIᵉ siècle, cette crypte fut prolongée vers la nef. Le clocher est une tour des plus impressionnantes en raison de sa hauteur; il comprend cinq étages accusés à l'extérieur par des frises d'engrenage en dents de scie qui forment, sur chaque face, les parements encadrés par des arcatures entourant les ouvertures des fenêtres; dans les étages supérieurs celles-ci sont tantôt à deux arcs, tantôt à trois arcs, séparés par des colonnes à chapiteaux trapézoïdaux. La plupart de ces fenêtres sont murées depuis le XVᵉ siècle. Ce n'est qu'au XVIIᵉ siècle que l'on surmonta ce clocher d'un vulgaire amortissement surélevé, ajoute peu heureuse, qu'il conserve encore de nos jours.

58 VILALLEONS. *LE TYPE RURAL A UNE NEF, CONSTRUIT A LA perfection sans sortir de la structure fonctionnelle, prédomine en 1083 lorsqu'a lieu la consécration de l'église Santa Maria. La surcharge d'ajoutes et de chapelles faites à cette église n'empêche cependant pas la perception d'une nef unique avec un seul doubleau*

VILANOVA

en appui de la voûte en berceau, et surtout celle de l'extérieur, qui conserve toute sa portée dans l'abside avec saillies de quatre arcatures entre lésènes, à l'intérieur desquelles une galerie de fenêtres aveugle s'étend vers les murs latéraux. L'ajoute sur le devant d'un corps d'édifice servant de base au clocher, répond à l'atrium primitif qui fut ajouté au XIIᵉ siècle, - comme ce fut aussi le cas dans plusieurs autres églises de la plaine de Vich –, et sur lequel s'ouvrait un portail sculpté.*

VILANOVA. CURIEUX EXEMPLE QUE CELUI DE L'ÉGLISE SANT **59** Jaume dans la circonscription de la paroisse de Terrassola ! Elle est de plan complètement circulaire, avec 5 m. 20 de diamètre. Sur ce cercle s'ouvre une abside qui fait saillie à l'extérieur. Les cloisons se ferment en coupole et dans les murs sont encastrées quatre absidioles réparties symétriquement aux axes de l'intérieur. L'extérieur, aux murs lisses, n'admet qu'une frise d'arcatures dans le haut de l'abside. Cette singulière construction de la fin du XIᵉ siècle trouve d'autres modèles semblables dans les églises Sant Miquel de la Pobla de Lillet dans celle du château de Lluçà, dans celle de Sant Adjutori dans la vallée de Sant Medir et dans celle de Sant Pere de Cervera; cette dernière date à peu près de 1131.

VOLTREGA. LA PAROISSE RURALE SAINTE CÉCILE REM- **60** *plaça son église primitive par une autre qui, en 1095, reçut de pieux legs testamentaires destinés à sa consécration. On adopta le plan d'une nef avec transept, trois absides et un dôme à la base d'un clocher, plan identique à celui de l'église qui au même moment se construisait à Sant Tomàs de Riudeperes. Les mutilations causées par l'effondrement du clocher et la perte des absidioles, en plus d'autres transformations qui inversèrent l'axe de l'église, font passer inaperçu un exemplaire d'édifice à structure soignée, dans lequel ne manquent pas les arcatures. Celles-ci décorent l'extérieur du dôme, sous une frise à dents de scie, et s'étendent aux murs et à l'abside, selon la tradition de la plaine de Vich.*

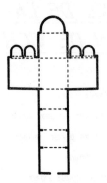

VICH

MONTBUI

ACCÈS

On prend la route qui va de Igualada à Valls, et on la suit jusqu'à Santa Margarita de Montbui. Puis, à 200 m., on trouve sur la droite la route qui, en un kilomètre et demi, mène à l'église située à 629 m. d'altitude.

La table des planches illustrant ce chapitre se trouve à la page 52.

L'ACCÈS à Montbui – comme d'ailleurs à la plupart des églises étudiées en ce volume – n'est pas facile. Il faut monter jusqu'à la Tossa, mais l'on est largement payé de sa peine. Car, outre que l'église mérite amplement cet effort, sa situation, sur le sommet désert, prend un relief accru.

L'église est là, comme confiée aux visiteurs et aux pèlerins. Des inscriptions en catalan rappellent que cette montagne appartient à la Mère de Dieu, et qu'il faut vénérer Notre-Dame, en respectant son sanctuaire.

L'église, défense spirituelle, la tour, défense temporelle, une bergerie. C'est tout un âge du passé chrétien qui se trouve ainsi évoqué et comme ramassé à Montbui.

MONTBUI, MOMENT REPRÉSENTATIF

Mieux encore que les grands monuments, souvent composites, les petits édifices, plus caractéristiques, laissent percevoir le souffle d'un style. L'histoire très riche des premiers se révèle dans la diversité des éléments qui les ont constitués au cours du temps, mais aussi dans l'harmonie de l'ensemble où ils se fondent comme en un palimpseste ; ces monuments possèdent parfois une remarquable densité de valeurs qualitatives où apparaissent les multiples traces du passé qui les a créés et la main de l'artiste, même lorsqu'ils se présentent comme un tout englobant ces facteurs divers. Les petits par contre, réduits à une seule expression, limités à leur caractère propre, jaillis comme la manifestation sincère d'un besoin qu'une solution anonyme suffit à satisfaire, comme la résultante de facteurs vitaux, conservent un pouvoir d'émotion qui évoque et traduit la manière de sentir d'un *moment* historique déterminé.

Assurer le repeuplement d'un territoire étendu et difficile, à la faveur de la reconquête, face encore à la domination tenace du califat de Cordoue, au cours d'une lutte séculaire entre des éléments dispersés, qui cherchent un lieu où s'établir dans des terres âprement disputées, à proximité d'une frontière que les vainqueurs laissent ouverte pour procéder à de nouvelles conquêtes : c'est bien de tels *moments* historiques que l'église de Montbui exprime dans le muet et sincère langage de ses pierres.

Campée sur la hauteur avec orgueil et sentiment de domination, elle est construite de façon rustique, avec ses pierres brutes de carrière, et – retaillés cette fois par la main de l'homme – ses colonnes et autres éléments destinés à faire naître une ordonnance en son sein. On crée ainsi un édifice qui s'enracine dans une lointaine tradition architecturale et traduit le désir de consacrer à Dieu ce que l'on peut bâtir de mieux, au milieu de terres que l'on défriche en même temps qu'on les défend.

Montbui acquiert de la sorte une force étonnante, faite de pierre, et qui, se servant de murs, les ramasse et les incurve pour en former la voûte, condensant ainsi en un seul bloc compact et ferme tout son être, apte désormais à résister aux attaques arabes. Après tant de désastres et de coups reçus, l'expérience avait montré en effet que rien ne favoriserait autant la conservation d'un édifice, ne réduirait autant ses risques et ses périls, que la construction d'une œuvre solide où l'absence de charpente supprimerait tout danger d'incendie.

La masse de l'église de Montbui, toute de pierre, va de pair avec la tour de défense, sa contemporaine, érigée une dizaine d'années avant l'an mille, dans la volonté tenace de rester en ce lieu encore disputé aux Arabes. Si elle dut être bientôt abandonnée avant même d'avoir été achevée, la vague de repeuplement définitif qui déferla à nouveau trente ans plus tard la recouvra dans sa totalité. Entre temps sans doute avait-elle souffert de déprédations qui obligèrent à l'adapter à de nouvelles exigences. Cependant les années ne s'étaient pas écoulées en vain : avec elles avait paru un afflux de tendances nouvelles, de courants artistiques originaux qui imposèrent leur empreinte dans l'achèvement définitif de l'église.

Ainsi se trouve constitué le *moment représentatif* de Montbui : moment où l'existence d'une continuité au sein de l'évolution de l'architecture religieuse se manifeste entre les premiers bâtiments et les constructions ultimes. En ces dernières se laissent percevoir les innovations de l'art lombard dont fut alors inondée la Catalogne, en prodigieux éveil sous l'autorité et la vigilance de l'insigne évêque Oliba.

HISTOIRE

HISTOIRE DE SANTA MARIA DE MONTBU

La vieille église Santa María de Montbui se dresse sur la cime d'un éperon rocheux où naît la chaîne de montagnes de Queralt qui s'interpose, telle une barrière, entre la région méridionale du Haut Penedès et la vaste région de la Segarra. Pays montueux et accidenté, aux montagnes décharnées par les érosions qui entraînèrent les terres à travers la vallée du fleuve Anoia, il offre un panorama aride, verdi seulement par les vignobles et les oliviers, parmi la rare végétation qui pousse entre les roches nues et les versants marneux du fond de l'étang où, à une époque postérieure, vint se former la ville d'Igualada.

Territoire dépeuplé depuis 714, lorsque l'invasion des Arabes ouvrit le passage aux continuelles incursions qui le dévastèrent pendant deux siècles, il ne commença à manifester à nouveau des signes de vie humaine qu'en 885, lorsque les frontières de la Marche d'Espagne se fixèrent à la limite toute proche du fleuve Llobregat. Les efforts persistants pour accroître son étendue jusqu'aux rives du fleuve Gaià, dans une lutte dure et inégale faite d'occupations et d'abandons successifs, soutenue par les comtes de Barcelone contre les Arabes, suscitèrent, à partir du milieu du xe siècle, la constitution d'un ample système de défense. Celui-ci fut formé principalement de tours fortifiées dressées sur les promontoires les plus saillants, à l'intérieur de terres qui n'étaient à personne, et où la colonisation, a fortiori l'établissement d'habitants, s'avéraient difficiles. Les mains, continuellement sollicitées par le maniement de l'épée, se trouvaient dans l'impossibilité de tenir la charrue. Les fidèles qui, au service du comte, recevaient comme bénéfice des terres désertes et inhospitalières, succombaient souvent dura[ns] leurs entreprises de culture, et l'on ne réuss[i] qu'à force de sang à consolider les patrimoin[es] familiaux placés à l'abri du château et de l'églis[e].

En 970, le comte de Barcelone, Borre[l] attribua ces territoires à l'église de Vich et [à] son évêque afin que celui-ci prît soin de le[ur] repeuplement, mais l'évêque ne put atteind[re] à la stabilité en un pays frontalier où pratiqu[e-] ment les moyens de défense se trouvaie[nt] démantelés. Immédiatement après la terrib[le] incursion cordouane commandée par Alma[n-] zor qui, en 985, vint à la conquête et au pilla[ge] de Barcelone, le comte Borrell s'empres[sa] d'organiser la protection de ses frontières [en] distribuant de nouvelles terres à ses fidèles en stimulant ceux qui en possédaient déjà à [se] procurer les défenses qui consolideraient [le] repeuplement. L'évêque de Vich, Froia, qui, [en] 987, reçut du comte la moitié du château [de] Miralles, situé à peu de distance de Montbu[i,] répondit à une telle décision en érigeant u[ne] tour solide dans son propre domaine de Mo[nt-] bui, tour qui servit de protection aux colo[ns] venus s'établir dans sa circonscription, et po[ur] lesquels il fit bâtir une église. Mais avant qu[e] la tour et les autres constructions entrepri[ses] aient été achevées, tout resta paralysé par sui[te] de l'angoissante sécheresse survenue vers l'[an] 990; la stérilité et la famine effroyable q[ui] suivirent obligèrent une grande partie de [la] population à abandonner les champs et [à] émigrer vers la région franque de Toulous[e.] Le territoire ainsi délaissé fut rapideme[nt] envahi par les friches et les broussailles, ce q[ui] facilita l'incursion du cordouan Abdelmelic [qui,] en 1003, fit irruption dans cette partie de [...]

50

Catalogne, allant jusqu'à la plaine de Bages et détruisant la ville de Manresa. Après ce rude coup qui stoppa en quelque sorte l'expansion de la Marche, la récupération de la frontière se fit au ralenti. Ce n'est qu'après les campagnes de Cordoue de l'an 1010 – auxquelles prirent part les troupes des comtés catalans et qui inaugurèrent la décadence de l'ancienne splendeur du califat – que l'on réorganisa les moyens de défense et de protection de la population. Églises et monastères, fidèles et vassaux du comte de Barcelone, firent resurgir les châteaux abandonnés, et à l'intérieur de leurs limites réapparut le labourage des terres en friches lorsque les colons y fixèrent à nouveau leur résidence.

Le diacre Guillaume, seigneur des châteaux de Mediona et de Clariana, à qui l'évêque de Vich, Borrell, avait confié le repeuplement de la Marche de Segarra, reçut de son successeur, l'évêque Oliba, les châteaux intermédiaires de Tous et de Montbui en échange de ceux qu'il possédait dans les limites de l'évêché de Vich, dont Oliba était chargé d'assurer le repeuplement. Les clauses du traité du 4 novembre 1023 stipulaient que Guillaume de Mediona céderait à l'église de Vich le château d'Aguilar qu'il possédait dans la plaine de Vich, près de Tona, et recevrait en échange une sujétion de cette église pour les châteaux de Tous, de Montbui et d'Ocello, avec cens annuel payable à la fête de la Toussaint; ceci pendant toute sa vie et pendant celle du prêtre qu'il désignerait comme son héritier. Après quoi, ces châteaux deviendraient la propriété directe de l'église, à condition que celle-ci les rebâtît et veillât à la colonisation de ses terres.

La tour du château de Montbui fut alors terminée pour de meilleures conditions de défense, tout près de l'église rendue au culte après restauration, car si elle n'avait pas été victime des incursions passées, elle avait toutefois subi les dégâts causés par de longues années d'abandon. La date à laquelle cette restauration fut achevée peut se fixer vers 1032, d'après le legs d'une once d'or destinée à sa consécration, legs établi par le diacre Guillaume dans le testament qu'il fit le 22 octobre, à l'occasion de son départ pour un voyage dans les territoires occupés par les Arabes, ou, ce qui est plus probable, pour une expédition contre ces derniers. Il légua aussi deux onces d'or pour la consécration des églises de Sant Pere dans le château d'Ocello, et de Sant Joan dans les terres du château de Tous, ce qui occasionna certainement un voyage de l'évêque Oliba dans ces régions frontalières pour y effectuer les consécrations respectives. Peu de temps après mourait le diacre Guillaume dont le testament, qui, selon la loi, devait être publié dans les six mois qui suivaient le décès, fut rendu public dans l'église du château de Mediona le 6 septembre 1035. L'intrépide chevalier périt en défendant ses terres contre une incursion des Sarrasins qui les dévastaient; il tomba blessé dans une embuscade, fut fait prisonnier et décapité par les ennemis.

A partir de ce moment, l'histoire des vicissitudes de l'église de Montbui s'estompe dans la vie obscure et peu saillante d'une simple paroisse rurale, à mesure que le château qui lui avait été à son origine perdait de son importance. Elle demeura inchangée dans sa structure, sans autre adjonction ni modification que celle d'un clocher-pignon chargé sur le mur de renfort au chevet des nefs, le changement de l'appareil des douelles de la porte d'accès, et l'ouverture, sur le mur septentrional, d'une chapelle saillant à l'extérieur.

Le vieux centre paroissial se déplaça vers une ancienne église dédiée à sainte Coloma, située au pied du mont, et autour de laquelle s'était formé un noyau d'habitations qui devint plus tard l'actuelle ville de Montbui. Santa Coloma fut totalement rénovée et dédiée à sainte Marguerite en 1614. L'église primitive échappa ainsi aux transformations si communes durant la période baroque. Elle fut conservée intacte jusqu'à la fin du siècle dernier où on la rendit victime d'un crépissage intérieur qui cachait ses colonnes sous l'aspect uniforme de piliers sans caractère, et dénaturait la véritable expression de ses voûtes.

La récente restauration, effectuée par le Service de conservation des Monuments de la province de Barcelone, a permis de retrouver cette église dans son intégrité. Elle est considérée comme l'un des édifices les plus typiques du pays, dans lequel se conjuguent deux œuvres de caractère différent, séparées par l'an mil et distantes l'une de l'autre de quelques dizaines d'années seulement.

TABLE DES PLANCHES

52

CARDONA

24

CASSÉRRES

DIMENSIONS DE MONTBUI

Longueur totale dans œuvre : 17 m 80.
Largeur totale vers l'abside : 7 m 30.
Largeur totale du début de la nef : 6 m 60.
Largeur de la nef centrale vers l'abside : 2 m 70.
Largeur de la nef centrale au début de la nef : 2 m 20.
Largeur de la nef de gauche : 1 m 50.
Largeur de la nef de droite : 1 m 50.
Hauteur de la nef centrale : 4 m.
Hauteur des nefs latérales : 3 m 50.
Hauteur des colonnes jusqu'à l'imposte : 1 m 60.
Hauteur des arcs : 3 m 10.
Épaisseur des murs latéraux : 0 m 90.
Épaisseur des arcs de la nef : 0 m 68.
Hauteur des arcs de l'imposte à la voûte : 1 m 50.
Espacement des arcatures : 2 m 70.
Ouverture de l'abside : 2 m 65.
Profondeur de l'abside : 1 m 75.

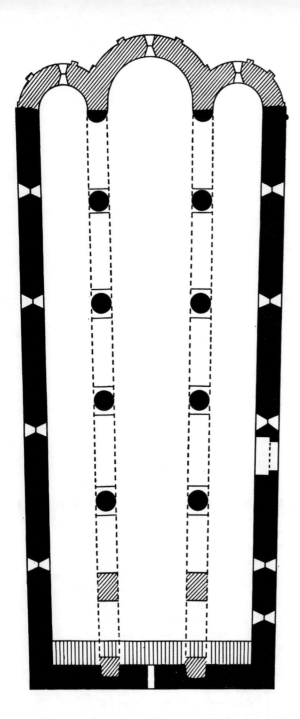

MONTBUI

VISITE

COMMENT VISITER L'ÉGLISE SANTA MARIA DE MONTBUI

On monte au rocher de la Tossa depuis le village de Montbui, laissant la route pour un chemin qui se glisse entre les vignobles et mène aux roches parmi lesquelles se blottissent les restes des murs de l'ancien château en ruines. On y découvre des fortifications et des salles à demi enfouies, de construction postérieure à la tour érigée par l'évêque Froia après l'an 986 et qui, avec sa base rectangulaire et ses angles arrondis, se dresse encore et présente de bons pans de mur formés de blocs de pierre taillée, placés entre des bandes transversales en arêtes de poisson. En haut du mur on observe une suite de pierres régulières qui signalent la reconstruction effectuée après 1032 par le diacre Guillaume.

En face du château on aperçoit la silhouette de l'église se détachant sur un paysage (pl. 1) qui devient plus vaste vu depuis la cime. Elle forme un bloc rectangulaire recouvert d'une toiture à deux versants d'où émergent le clocher-pignon à double arc sur le mur de la façade, et trois absides qui s'insèrent dans le côté opposé. La simplicité de la structure s'accordant avec la rusticité des murs, impressionne par la véracité du jeu de l'appareil des pierres qui s'ordonne dans la fonction constructive d'un ensemble unique, élaboré dans un même esprit en différentes étapes. Une chapelle ajoutée au XVIe siècle, et faisant saillie sur le côté septentrional, ne détruit pas l'homogénéité émouvante de l'édifice. L'absence des cloches fait paraître plus grands encore les arcs du haut clocher-pignon érigé au Moyen Age en remplacement d'un autre, plus petit, qui devait se dresser sur l'entrée du sanctuaire. Un escalier massif, d'époque postérieure, monte à la haute couverture faite de lauzes. La porte d'entrée se signale par ses douelles de pierre rougeâtre formant arc en plein cintre (pl. 3) au-dessus d'une corniche ornée de thèmes géométriques aux entrelacs filiformes, répétition tardive d'un motif dont on trouve encore un écho dans la taille des artisans qui, au XVIe siècle, remplacèrent une porte à facture plus simple.

Les trois absides se serrent les unes contre les autres, à même hauteur et se pénètrent par les côtés (pl. 2). Elles sont revêtues de simples et rigides lésènes qui se réunissent dans la partie supérieure au moyen de petits arcs aveugles en douelles de spongite, ceux-là mêmes que l'on retrouve dans les arcatures de la fenêtre ouverte sur chaque abside. La facture de ces absides, en petits moellons caractéristiques de l'école lombarde, se détache, dès le premier regard, de la structure plus ancienne du corps de l'église. Cette dernière est plus irrégulière, avec des pierres de taille plus grosses formant un parement à bandes rustiques, et elle n'a pour toute ouverture que trois petites fenêtres à double ébrasement avec les douelles des arcs en spongite, outre une fenêtre cruciforme sur le mur du fond. Ce n'est que sur le mur septentrional que l'on perçoit le changement d'appareil; en effet, les assises supérieures dénotent une rénovation contemporaine de la construction des absides qui correspond à la reprise de 1032.

Le désaccord existant entre le corps de l'église et le chevet, impressionne encore davantage lorsqu'on y entre (pl. 4-5). Trois nefs voûtées en fer-à-cheval peu prononcé s'appuient sur des arcs légèrement en fer-à-cheval eux aussi;

ces derniers se dressent sur des colonnes massives, formées de trois pièces cylindriques qui constituent le fût, emboîté entre une base un peu élevée et un chapiteau surmonté d'un tailloir. Les bases et les chapiteaux présentent également des angles arrondis.

Deux demi-colonnes séparent à leur point de naissance les absides venant clôturer les trois nefs. A l'autre extrémité de l'église deux piliers massifs accusent une reconstruction postérieure avec des arcs plus réduits, en plein cintre, et une prolongation des voûtes qu'ils soutiennent. Les absides et les piliers répondent à la reconstruction de 1032, selon le plan qui subsiste dans la structure de l'église, exception faite du mur de renfort du clocher, qui coupe une partie des deux derniers arcs, et de l'ouverture de la chapelle sur le mur de gauche. Le reste de l'église est le résultat homogène de l'édifice primitif, contemporain de la tour du château et antérieur à l'abandon de l'an 990.

La travée précédant les absides avec des voûtes plus surbaissées que celles du reste des nefs, indique la présence de l'enceinte du sanctuaire dont on n'arrive pas à discerner la construction originale à cause de la modification apportée par l'adjonction des absides, et aussi, par suite du dénivellement externe du terrain, situé beaucoup plus bas, ce qui empêcha la conservation de restes plus primitifs. Le changement subi par le sanctuaire, changement qui fut peut-être une substitution, coïnciderait avec un phénomène survenu dans les églises de Ripoll et de Cuxà sous l'intervention de l'évêque Oliba lui-même, aux débuts de l'influence lombarde. Ce sont des méthodes différentes appliquées au service d'une nouvelle conception du sanctuaire, plus en rapport avec les usages liturgiques qui peu à peu s'enracinèrent dans le pays au détriment des usages antérieurs, de tradition wisigothique, reçus jusqu'alors dans la construction des églises. A eux revient le plan de trois nefs divisées par des colonnes, qui fut adopté plus tard dans l'église souterraine du Canigou (cf. notre *Roussillon Roman*) et est inspiré d'un plan basilical dans lequel la voûte se substituerait à la couverture en bois. La voussure porte encore l'empreinte de la charpente des cintres et des roseaux, comme en beaucoup d'autres monuments de cette époque. Les fenêtres ont une taille réduite et présentent un double ébrasement – forme qui sera définitivement adoptée par le roman (pl. 9).

Des éléments qui composèrent le mobilier primitif de cette église on conserve encore des supports d'autel avec reliefs en demi-colonnes et des fonts baptismaux formés d'une pierre creuse et décorés d'un double motif géométrique en zig-zag (pl. 8).

ਥ

CARDONA

ACCÈS

Route n° *1410*, de Manresa à Solsona. Cardona
s'y trouve à *31* km. de Manresa.

La table des planches illustrant ce chapitre se trouve à la page *52*.

*L*A *situation de l'église du château de Cardona, au sommet de la montagne qui domine la petite cité, lui confère une valeur exceptionnelle.*

L'édifice justifie cette position, tant il semble l'emporter sur ses contemporains par la perfection de son style.

Il présente un art dépouillé à l'extrême, comme l'ont su réaliser les bâtisseurs lombards. Le maçon s'y exprime seul, capable de donner à l'édifice une vie intense par la magie des proportions, le jeu de l'appareil.

Un parcours rapide ferait illusion. Cardona, dans son austérité, dans sa nudité même, réserve une joie sans cesse renouvelée à qui tient l'architecture pour l'art des arts, à qui une forme simple, mais parfaite, parle plus éloquemment de Dieu que toute image.

A ceux-là, les quelques reproductions retenues parmi d'autres ne paraîtront pas trop nombreuses, appliquées qu'elles sont à une église aussi parfaite.

RAYONNEMENT DE CARDONA

Pour expliquer l'intense mouvement de rénovation qui, dès le début du XIᵉ siècle, se fit jour dans la construction des églises, il est nécessaire de faire appel à toutes sortes d'éléments divers. En corrélation avec les institutions qui prirent forme au sein des comtés catalans se produisit la consolidation de l'organisation ecclésiastique que les évêques s'efforcèrent d'enraciner dans les régions rurales de leurs diocèses; joua aussi l'influence directement exercée par les monastères dans les églises qu'ils desservaient. Mais en outre, il existe un courant profond de sentiment religieux qui, en dépit de certaines manifestations de réflexes barbares et de passions violentes, se révèle dans un fait significatif : les habitants qui s'unissent pour construire leur église paroissiale et la doter des terres qui l'entourent. Ce même sentiment se retrouve d'ailleurs chez les nobles qui érigent une chapelle dans leurs domaines, et dans les maisons seigneuriales qui, si elles ne réussissent pas toujours à se procurer un évêché comme le fit Tallaferro, comte de Besalú, fondent du moins ou dotent des monastères et des maisons religieuses, aspirant ainsi au gouvernement temporel familial et désirant s'assurer un lieu de sépulture. L'existence collective semble prendre conscience de ses traditions et de ses usages dans la compilation des *usatges* qui, en 1058, constitua la première législation d'un peuple, torturé par des siècles de luttes et possédant encore près de lui une vaste frontière d'expansion. Cette collectivité se développa, animée d'une foi intangible qui la conduisit à exalter ses idéaux, et déborda en une floraison de constructions religieuses dont l'apparition multiple et rapide assura la diffusion d'un style. L'église de Cardona forme, dans cet ensemble, un maillon de plus ajouté à la chaîne des faits; sa fondation a lieu à un moment de maturité à l'intérieur du courant de renouveau qui marque l'époque; celui-ci prélude à une réforme, en recommandant la vie commune des prêtres et en la favorisant par des institutions adaptées; enfin, sa construction atteint à une valeur exemplaire d'architecture par l'équilibre d'une série de facteurs qui s'y conjuguent : la puissance économique qui ne limite pas les facultés de création; un esprit innovateur et très ouvert tel que celui de l'évêque Oliba qui préside à sa fondation; l'intervention à la fois seigneuriale et ecclésiastique de l'évêque Eriball, exécuteur de l'œuvre conçue par son frère le vicomte Bremond; et surtout, la présence d'un remarquable maître d'œuvre. Celui-ci, sans sortir du style nouveau qui se diffusait alors, sut percevoir l'ambiance particulière dans laquelle cette construction s'insérait, et lui donner une forme personnelle où se sent l'impulsion d'une force qui intègre les éléments constructifs divers en un ensemble unique. Car cette église, tout en étant comparable à d'autres édifices identiques éparpillés dans l'aire dominée par l'art lombard, affirme hautement la parfaite assimilation de cet art par la Catalogne et la faveur avec laquelle celui-ci y fut accueilli.

HISTOIRE

HISTOIRE DE SANT VICENÇ DE CARDONA

Cardona, avec son château et son église, est située sur le sommet conique qui se dresse au plus abrupt de la chaîne de montagnes dans la vallée de laquelle coulent les eaux du fleuve Cardener. La situation stratégique qui contribua beaucoup à l'importance du château, était due en grande partie aux montagnes de sel gemme qui, dès les premiers temps de l'histoire, y attirèrent et y fixèrent des habitants.

Son emplacement dans la région de Berguedà, à la limite méridionale du comté d'Urgell, fut cause de son occupation militaire en 798, en même temps que celle d'Ausona et du château de Cassérres. En effet, à cette date Louis le Pieux se décida à appuyer la pression franque dans la partie centrale de la Catalogne, ce qui entraîna en 801 la reddition de Barcelone. Les luttes internes et les vicissitudes qui atteignirent leur point culminant en 826 avec le dépeuplement du territoire d'Ausona jusqu'aux Pyrénées, menèrent à l'abandon de Cardona ainsi qu'à celui des autres forteresses du pays. La désolation prit fin un demi-siècle plus tard lorsque le comte d'Urgell, Guifred le Velu, à peine en possession des comtés de Gérone et de Barcelone qui lui avaient été adjugés, entreprit le repeuplement de l'enclave constituée par le comté d'Ausona en 879. Le comte accorda le maximum de garanties à tous ceux qui décidèrent de s'établir sur les terres du château de Cardona. Outre la reconnaissance à perpétuité de la possession totale de leurs biens et la concession d'un quart des bénéfices, ils étaient absolument exempts d'impôt, si ce n'était du cens qui revenait à l'église en prémices, dîmes et offrandes. La garantie de sécurité s'étendait de plus à tous ceux qui se présenteraient, fussent-ils serfs fugitifs, adultères, voleurs, faussaires ou responsables d'autres délits.

Pendant la longue période qui suivit, la reconquête demeura stationnaire, ce qui conduisit à négliger les moyens de défense et à dégarnir les châteaux frontaliers de la Marche. La stabilisation du château s'effectua alors, mais au détriment de son importance. La terrible incursion d'Almanzor dont les troupes trouvèrent le chemin pratiquement libre jusqu'à Barcelone qu'elles pillèrent en 985, obligea le comte Borrell à réorganiser la frontière. Le 4 avril 986 il établit un nouveau repeuplement à Cardona et remit en vigueur l'ancien décret de son grand-père, le comte Guifred. Borrell y ajouta d'autres prérogatives et fit don des terres au vicomte d'Ausona, Ermemir, et à ses descendants. Ainsi prit naissance la maison vicomtale de Cardona, illustre par ses hommes d'armes et ses dignitaires ecclésiastiques, qui, en 1375, se transforma en comté et devint finalement duché à partir de 1491.

Il n'est pas possible de préciser à quelle date fut construite l'église dédiée à saint Vincent qui se trouve à proximité du château. Peut-être fut-elle érigée pendant la première occupation de 798, si toutefois elle n'existait pas déjà ? En tout cas elle dut être restaurée pendant les repeuplements successifs de 879 et de 986. Cinq ans avant cette dernière date elle est mentionnée dans une donation faite à la maison de Saint-Vincent fondée dans le château de Cardona, et l'on sait que diverses concessions lui furent accordées à l'occasion du dernier repeuplement. Le patrimoine de sa dotation augmenta par la suite; il suffit de signaler le legs testamentaire laissé par Arnulf, évêque

94

d'Ausona mort en 1010, et les biens octroyés en 1015 par son neveu, le vicomte Bremond.

La transformation de l'église eut lieu sous le gouvernement de ce dernier qui apparaît comme un homme pieux et sans descendance. Lui-même confessa que sachant combien il est difficile à un homme riche et puissant de rester exempt de péché, et afin d'être délivré des fautes qui bourrelaient sa conscience, il eut recours au conseil du patriarche le plus vénéré de son temps, l'insigne évêque Oliba, abbé de Ripoll et de Cuxà et évêque d'Ausona. Oliba le décida à reconstituer le patrimoine de l'église, dispersé par la négligence de ses ancêtres, et à l'augmenter de son côté par des biens qui permettraient l'établissement d'une communauté canoniale présidée par un abbé. Celui-ci devrait mener une vie de sainteté, être inexpert dans l'usage des armes et doué de probité, afin de servir d'exemple au clergé et au peuple qu'il gouvernerait. Tout ceci fut réalisé par Bremond en 1019, avec le consentement de l'autorité comtale de Barcelone et d'Urgell, et l'approbation de l'évêque de cette dernière région frontalière, saint Ermengol, au diocèse duquel appartenait Cardona. L'acte de dotation de l'église Sant Vicenç fut fait, le nombre de ses desservants augmenté. Ces derniers furent assujettis à la règle canoniale d'Aix-la-Chapelle, sous la direction du premier abbé, Guillaume. Durant les dix années suivantes, Bremond projeta de perfectionner son plan par la construction d'une église qui se substituerait à l'ancien édifice et le dépasserait en magnificence. Mais la mort le surprit vers la fin de 1029 alors que les fondements venaient à peine d'être posés.

La réalisation de cette œuvre échut à son successeur et frère, le vicomte Eriball, alors archidiacre de Gérone et plus tard, à partir de 1035, évêque d'Urgell. Il mena à bien la construction de l'église qu'il fit consacrer solennellement le 23 octobre 1040, deux mois avant sa mort, survenue à Pomposa, alors qu'il entreprenait un voyage en Terre Sainte. On ignore si les plans du vicomte Bremond furent suivis et si dans leur exécution on dépensa les sommes qu'il leur avait destinées, son frère Eriball ne devant être que le simple exécuteur testamentaire d'une volonté déterminée. On ignore également si Eriball modifia les plans de son frère et s'il donna une autre orientation à une œuvre qui surpasse nettement les édifices religieux de l'époque, avec des caractéristiques tellement définies qu'aujourd'hui encore on perçoit l'influence qu'elle exerça sur un très grand nombre de constructions. On sait par contre avec certitude que 1040 est la date qui correspond à la consécration de cette église si importante par son architecture, et dont la construction fut commencée à peine dix ans plus tôt, tandis que la crypte recevait déjà l'année suivante une donation de la part du premier abbé, Guillaume. Néanmoins, si elle ne fut pas alors tout à fait achevée – malgré la consécration qui suppose au moins l'utilisation intérieure du temple – son achèvement ne dut pas être différé de beaucoup, à en juger par l'unité absolue qui marque l'ensemble de sa structure.

Le monastère se transféra de la vieille église à la nouvelle avec environ une douzaine de chanoines unis dans la vie commune selon la règle d'Aix-la-Chapelle. Vers 1083 ce monastère subit la réforme grégorienne qui introduisit la règle de saint Augustin selon le modèle de Saint-Ruf d'Avignon. Cette réforme lui fut sans doute imposée par le vicomte Folc II, archidiacre de la canoniale, devenu plus tard évêque d'Urgell, puis évêque de Barcelone, à qui échut le vicomté lorsque son frère Raymond Folc mourut sans laisser de successeur. En 1099, à la mort de Folc II, il y eut des tentatives de résistance à la réforme de la part des membres de la communauté, qui durent se soumettre par ordre du légat pontifical, le cardinal Boson. L'abbaye de Cardona, riche en rentes, en prieurés, en églises filiales, devint très importante et partagea la domination de la montagne avec le château construit près d'elle, résidence des vicomtes. Plus tard, l'absence des seigneurs et le relâchement progressif de la discipline lui firent perdre la splendeur de son passé, jusqu'à ce que fut décrétée la sécularisation en 1592. L'abbaye resta alors réduite à une collégiale présidée par un abbé. Les chanoines construisirent leurs demeures indépendantes parmi les nouvelles constructions qui transformèrent le château en forteresse d'artillerie et dressèrent de nouvelles murailles et de nouveaux remparts sur les flancs de la colline. Les guerres de la fin du XVIIe siècle furent à l'origine de ces transformations, car le site offrait un grand intérêt stratégique, ce qui entraîna en 1794 la désaffectation de son église que l'on transforma en caserne et en magasin. La collégiale alla se réfugier dans une église de la ville sans réussir désormais à posséder une église propre, et en 1851 elle fut définitivement supprimée.

Le château, organisé par Louis le Pieux et repeuplé par les comtes de Barcelone parce que situé à l'extrémité du comté d'Ausona, autrefois résidence d'une des familles les plus illustres du pays, devint une inexpugnable forteresse militaire qui entraîna la transformation de l'intérieur du temple par l'installation de cloisons et d'étages superposés. Récemment délivrée d'une telle servitude, l'église a été rendue au patrimoine artistique après une restauration intelligente qui, en la dépouillant de toutes ces ajoutes, a restitué l'émotion esthétique que l'on ne peut manquer d'éprouver en contemplant une œuvre aussi exemplaire et aussi parfaite.

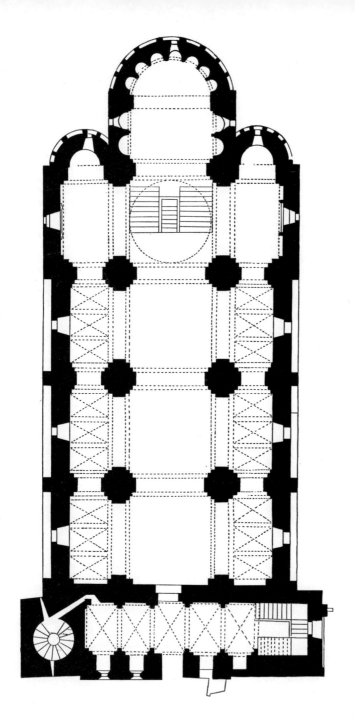

CARDONA

VISITE

La forteresse du château de Cardona, hérissée de remparts entre deux lignes de défense, occupe la colline dont le sommet est entièrement recouvert de constructions diverses. Ces constructions, à l'exception d'une tour circulaire, ne gardent plus aucun lien avec le château primitif situé jadis face à l'église Sant Vicenç. Celle-ci émerge sur la pointe orientale, au bout d'une montée qui se fraie son chemin au milieu des fossés, des poternes et des passages conduisant à son atrium que l'on atteint après avoir traversé la cour et le cloître gothique, réduit médiéval qui évoque une résidence mi-seigneuriale, mi-monastique.

L'église s'étend sur un plan basilical à trois nefs avec transept surmonté d'un dôme, et chevet triabsidal. A l'entrée un portique supporte une galerie ouverte à l'intérieur (pl. 13). Les nefs sont divisées par deux rangs de trois piliers massifs de 2 m. 65 d'épaisseur, de plan cruciforme et comportant des saillies (pl. 11) d'où partent les gros arcs qui élèvent à une hauteur de 19 m. 80 la voûte – en berceau ininterrompu – de la nef centrale, ainsi que les doubleaux qui la partagent en trois travées et retombent sur des demi-pilastres engagés dans les murs latéraux. Les bas-côtés sont recouverts de voûtes d'arêtes, à raison de trois par travée (pl. 23). Leur hauteur a 9 m. de moins que celle de la nef principale, ce qui permet que cette dernière soit éclairée directement par les fenêtres ouvertes sur le mur qui surplombe les bas-côtés, et dont le rythme de distribution est identique à celui des fenêtres pratiquées tout le long des collatéraux.

Le transept dont les bras aux voûtes semi-circulaires dépassent de peu le plan des nefs, soutient la coupole centrale développée sur trompes d'angles (pl. 22). Au fond de chaque côté s'ouvrent des absidioles lisses, encadrant le sanctuaire formé d'un espace rectangulaire qui précède l'hémicycle de la grande abside (pl. 19). On y accède au moyen de deux escaliers dus au dénivellement causé par la crypte à laquelle conduit un escalier central. L'ensemble de cette enceinte est modelé par la présence, sur les murs des côtés, de deux hautes niches, éléments que l'on retrouve dans le circuit interne de l'abside (pl. 14). L'éclairage du chevet est assuré par des fenêtres ouvertes respectivement au milieu de chaque absidiole et sur les murs du fond du transept, en plus de celles pratiquées de chaque côté du sanctuaire, à l'intérieur des niches. Comme dans les constructions antérieures, toutes les fenêtres sont à simple ébrasement vers l'intérieur, et avec des douelles taillées.

La crypte dont la surface coïncide avec celles du sanctuaire et de l'abside centrale, occupe un espace de 10 m. de long sur 5 m. de large pour une hauteur de 2 m. 67. Elle est recouverte d'une voûte d'arêtes et divisée en trois nefs par deux rangs de cinq colonnes provenant sans doute de l'ancienne église, et surmontées de blocs rustiques tenant lieu de chapiteaux (pl. 25). Ces blocs ne sont pas sculptés mais façonnés de manière à faciliter le passage de la base circulaire à la base carrée des arcs et des arêtes élevées qui retombent sur les murs latéraux en formant des saillies s'appuyant sur une banquette (pl. 24), exactement comme à la crypte de la cathédrale de Vich, sa contemporaine.

L'atrium précède l'accès du temple, adossé à la façade dont la partie haute est percée d'une unique baie circulaire. Il comprend trois travées recouvertes de voûtes d'arêtes et aux extrémités desquelles se développent les escaliers hélicoïdaux à l'intérieur de tours disparues qui montaient au toit. Dans sa partie supérieure il forme une galerie, située au fond de la nef centrale et servant de tribune aux habitants du château (pl. 13).

Les voûtes de l'atrium avaient été couvertes au XIIe siècle de fresques de la même main que celles de l'abside de Polinya. On a réussi à sauver une grande partie de cette décoration faite de franges ornementales entourant un cercle central dans lequel étaient représentés le Pantocrator, la Sainte Vierge et le thème de la Présentation au temple. Les murs de l'atrium avaient été ornés au cours du XVe siècle, de nouvelles peintures comprenant des figurations historiques dont la plupart ont disparu.

L'aspect extérieur de l'édifice est défiguré par le surhaussement de la couverture des bas-côtés, probablement terminée en terrasse, et par d'autres constructions qui enlaidissent le dôme. Mais les murs latéraux, renforcés par des contreforts rudimentaires, montrent librement la riche décoration de doubles arcatures entre lésènes qui s'étend au transept et revêt les absides. De même qu'à Cassérres et à Ripoll des fenêtres aveugles sont placées sous les arcatures de la grande abside et envahissent aussi les murs, tout proches, du transept (pl. 10).

Les petits blocs caractéristiques en pierre taillée, utilisés dans cette construction, offrent un parement régulier au service de la structure. Si celle-ci présente à l'extérieur l'ornement d'arcatures, de lésènes et d'arcs aveugles, l'intérieur par contre est parfaitement lisse et n'a d'autres saillies que celles des doubleaux, formerets et simples impostes qui s'interposent pour recevoir les grands arcs (pl. 15, 16, 17). La forme, inspirée de la distribution basilicale, unie à un transept soutenant la coupole, trouve le moyen de couvrir les espaces en utilisant la voûte en berceau ininterrompu dans la nef centrale et les bras du transept, et en berceau combiné avec des arêtes dans les collatéraux (pl. 20, 21), sur croisement d'arcs réduits à un minimum de supports. On a pu obtenir ainsi une plus grande élévation du corps central qui permet de profiter de la lumière des hautes fenêtres tout en maintenant l'équilibre de la construction au moyen de contreforts rudimentaires qui reçoivent à l'extérieur la poussée des doubleaux. Les admirables proportions, sensibles dans la distribution des enceintes, la sveltesse des arcs, même la hauteur des absides dénotent une maîtrise absolue de ce genre de constructions qui, selon Puig i Cadafalch, suppose un artiste connaisseur de son art et formé par une tradition antérieure. Celui-ci soigna son œuvre à tel point que l'on n'y trouve aucune trace de tâtonnement ou d'essai. Il n'y a pas d'éléments nouveaux qui ne proviennent du domaine de l'art lombard le plus rapproché des types basilicaux; tant dans la disposition que dans les détails, ou même dans la profusion de niches entourant le sanctuaire. La savante ordonnance avec laquelle tous ces éléments sont choisis et harmonisés dans la création de l'ensemble, répond à une structure fidèle aux principes mais qui atteint ici à un équilibre parfait dans les proportions. Peu d'œuvres la surpassent dans l'évolution des formes basilicales qui à cette époque encore, se multipliaient dans le pays, et offraient à ce moment même une immense richesse d'éléments dont on trouve l'emploi dans une foule d'églises. On peut donc présenter avec raison l'église de Cardona comme le modèle le plus achevé qui mérite de caractériser cette époque.

DIMENSIONS DE CARDONA

Longueur totale dans œuvre : 49 m.
Longueur des nefs : 24 m 50.
Largeur de la nef centrale : 7 m 40.
Hauteur de la nef centrale : 18 m 80.
Largeur des collatéraux : 2 m 90.
Hauteur des collatéraux : 12 m 40.
Largeur du transept : 17 m 60.
Longueur du transept : 6 m 25.
Longueur de l'avant-corps de l'abside : 5 m 25.
Largeur de l'abside : 3 m 20.
Profondeur de l'abside : 6 m 40.
Hauteur de l'abside : 8 m 30.
Largeur des absidioles : 2 m 80.
Profondeur des absidioles : 1 m 25.
Hauteur des absidioles : 5 m.
Longueur de la crypte : 10 m.
Largeur de la crypte : 6 m 60.
Largeur des nefs de la crypte : 2 m 20.
Hauteur de la crypte : 2 m 60.
Longueur du narthex : 4 m.
Largeur du narthex : 15 m 20.

CASSÉRRES

ACCÈS

Route n° 153, de Vich à Olot. A 4 km. de Vich, sur la droite, un panneau indique le chemin par lequel on monte en voiture jusqu'à Sabassona. De là, il reste encore, pour atteindre le monastère, dix kilomètres qu'on ne peut faire en voiture, sinon avec une Jeep; se renseigner à l'Office du Tourisme à Vich.

La table des planches illustrant ce chapitre se trouve à la page 52.

On n'atteint Cassérres qu'au terme d'une véritable expédition. Celle-ci exige un guide. Aussi les photographies que nous publions, l'étude du monument que nous donnons, permettront-elles à beaucoup d'approcher un monument presque inaccessible, sans nul effort.

On peut du moins admirer la situation de Cassérres sur la boucle du Ter, dominant le canyon de ce fleuve. La route de Roda de Ter à Santa Maria de Corco passe tout près du site, et celui-ci vaut d'être vu.

Ce monument grandiose, impressionnant par son échelle, l'ampleur de son volume intérieur, est un témoin de première importance sur l'architecture de son temps. Son état de délabrement ne saurait entrer en ligne de compte : c'est la force d'un art aussi simple, aussi robuste, que de savoir résister aux pires déchéances.

L'ÉCHO DE CASSÉRRES

Les évolutions historiques des peuples ont beau rejeter dans l'ombre les causes qui entraînèrent l'existence de faits encore actuels, elles ne réussissent cependant pas à effacer ces derniers, bien qu'elles les aient souvent vidés de leur contenu vital. Dans leur abandon même et dans la ruine qui les ronge, la valeur documentaire qu'ils renferment en tant que témoignage d'un passé révolu, exprimé dans le langage de leur époque, ils renferment une puissance d'évocation suffisante pour laisser percevoir l'authentique signification de leur raison d'être et le *moment représentatif* qui, à un stade de leur évolution historique, caractérisa la vitalité des peuples qui les créèrent. La survivance en Catalogne d'un nombre aussi extraordinaire de constructions romanes constitue un fait d'une importance inégalable. Celui-ci, d'une part, montre comment la vitalité religieuse s'enracina dans une expression qui s'adaptait parfaitement à l'esprit du pays, et de l'autre, laisse entendre que son intense diffusion, à partir des premières décades du XIᵉ siècle, supposait l'agrément de normes constructives aptes à satisfaire toutes les exigences, par leur variété de formes à l'intérieur d'un style unique. Ainsi la sévère sincérité des structures s'adaptait particulièrement au service de l'austérité monastique; l'expression de grandeur ne pouvait que séduire les puissants et grands seigneurs qui rivalisaient dans les fondations religieuses; la solution pratique due à l'emploi de la pierre extraite au pied même de la construction, favorisait la petite économie rurale et lui permettait d'ériger sa propre église au plus haut de la montagne. Dans l'évolution historique de la Catalogne centrale et pyrénéenne, sur un territoire enfin à l'abri des anciennes menaces des Sarrasins – arrêtés par une frontière qui les refoulait progressivement vers l'Occident –, à mesure que l'on récupérait et que l'on tirait parti de la progression, les comtes et évêques, les princes et abbés, les seigneurs et vassaux, les propriétaires terriens et paysans rivalisaient dans une rénovation spirituelle qui trouvait sa répercussion immédiate dans l'élaboration de constructions nouvelles. Celles-ci venaient remplacer leurs églises déjà vieillies, et provoquaient, dans une unité d'expression, la variété de formules que les maîtres nomades et les tailleurs de pierre savaient adapter à chaque lieu. L'imposante église Saint-Pierre de Cassérres est un exemple frappant de cette vitalité qui incarne ce fait historique précis et lui confère une ferveur intense : il tire de son cœur cette supplication qui se traduit en une clameur de pierre, où l'on devine la force impétueuse d'une race qui se sent enfin maîtresse de ses domaines et y élève pour ainsi dire son propre monument : Cassérres est en effet l'œuvre d'une maison seigneuriale à son apogée, celle des vicomtes d'Ausona : elle érige son monastère votif dans le site le plus pittoresque de ses vastes territoires, faisant montre, en cela, de puissance et de grandeur, avec l'ambition de se perpétuer à travers les générations, sans penser – semble-t-il – qu'un jour le monastère se disséminerait, le culte viendrait à s'éteindre, les cloches se tairaient tandis que seraient dispersés les restes familiaux qui auraient cherché, comme en vain, la paix du sépulcre sous ses voûtes.

HISTOIRE

HISTOIRE DE SANT PERE DE CASSÉRRES

Le château érigé au sommet du promontoire de Cassérres fut une des bases occupées militairement en 798 sur l'ordre de Louis le Pieux. Elle ne devint cependant une base solide qu'à partir du repeuplement du pays effectué en 879, lorsque l'on y construisit une basilique, dédiée à saint Pierre par les gens intrépides qui s'installèrent sur son territoire. En 1006, cette église se trouvant presque en ruines et abandonnée, la vicomtesse d'Ausona, Ermetruit, se proposa de la rebâtir. Elle obtint au préalable que le territoire serait bien la propriété de l'église, grâce à une donation du comte de Barcelone, Raymond Borrell, à qui ces terres revenaient en vertu des droits de ses ancêtres qui les avaient conquises sur les sarrasins. Cet acte, mal interprété, a été pris pour celui de la consécration de l'église. En réalité il ne fit qu'assurer les droits du monastère qu'Ermetruit se proposait d'établir, sans doute avec une intention votive que l'on devine plus ou moins à travers une ancienne légende qui veut expliquer la fondation. La succession n'était pas normalement assurée au moment de l'apogée de la famille. Ermetruit, ne pouvant compter pour lui succéder sur son fils aîné, le vicomte Ermemir, désigna un autre de ses fils, Raymond, marié aux alentours de 1006, et qui en effet prit la succession de sa mère quatre ans plus tard. Le fait qu'un troisième fils fût abbé de Sant Feliu de Gérone et évêque d'Ausona, influa peut-être sur cette fondation monastique. Si Ermetruit ne put voir son œuvre achevée, l'existence du monastère devint cependant définitive et à partir de 1022 il reçut des terres et des legs. Le patronage de la fondation avait échu à Enguncia, bru d'Ermetruit, et en 1015 déjà veuve du vicomte Raymond. Son jeune fils,

le vicomte Bremond, s'intéressa à la fondation de Cardona dont l'église fut bâtie par Eriball son successeur et frère, évêque d'Urgell, qui la termina en 1040, cependant que leur mère Enguncia concentrait tout son intérêt sur l'édifice de Cassérres. Elle put voir l'église presque achevée en 1039 lorsqu'elle destina d'importants legs testamentaires au monastère et à ses besoins et fit don de deux objets d'argent pour la croix de cette église, où elle voulut être enterrée.

Les édifices monastiques se groupèrent autour d'un cloître. Le monastère fut adjugé à Cluny vers 1080, et devint prieuré de cet ordre avec une communauté de quelque douze moines soutenue pendant ses temps de splendeur par les grands seigneurs du pays et bon nombre d'ecclésiastiques qui y prirent leur retraite, tel l'évêque de Vich, Guillaume de Tavertet. Le prestige acquis lui valut l'adjonction d'autres prieurés dont ceux de Sant Ponç de Corbera et de Sant Pere de Clara. Sa décadence commença vers le début du XIVe siècle avec la diminution du nombre des moines et l'intronisation, à partir de 1376, de prieurs commendataires dont le premier, Pedro de Luna, était à l'époque cardinal.

La voûte de la nef de l'évangile s'étant effondrée lors des tremblements de terre de 1427, cette nef fut supprimée au moyen d'un gros mur qui ferma les deux arcs par lesquels était assurée sa communication avec la nef centrale. Le cloître fut reconstruit, le monastère restauré. Dans ce dernier, à cause de son abandon presque total et malgré les dispositions prises par les visiteurs de l'ordre, il fut impossible de consolider une communauté, repréentée seulement par un moine ! Une telle situation conduisit à sa suppression décrétée n 1572 et, trois ans plus tard, à l'adjudication du monastère aux jésuites de Bethléem de Barcelone, accordée par le roi Philippe II et confirmée ensuite par Grégoire XII. En 1767 le bannissement des jésuites fit passer Cassérres à la propriété privée. Son église servit encore jusqu'au milieu du siècle dernier. L'abandon a fait tomber en ruines les constructions monastiques au pied de l'énorme structure de l'église, désormais envahie par la végétation.

VISITE

COMMENT VISITER SANT PERE DE CASSÉRRES

La situation stratégique et originale de Cassérres est conditionnée par les amples méandres que le Ter décrit dans son cours, au Nord de la plaine de Vich, avant de traverser les massifs montagneux qui conduisent ses eaux à travers les Guilleries. A l'un de ses derniers méandres, il ceint une étroite langue de terre formée de rochers escarpés s'élevant à quelque 150 m. et présentant des rives à pic sur les deux versants. Le monument se dresse à l'extrémité Nord de cette longue péninsule, sur la roche nue et légèrement en pente; il occupe toute la largeur de la plate-forme, ayant son abside presque suspendue au-dessus de la falaise (pl. couleurs p. 9). De l'autre côté, une partie des dépendances monastiques à moitié en ruines se trouve portée par un soutènement marqué qui gagne du terrain sur la roche (pl. 26, 27).

La gradation de lignes des corps d'édifices subsistants, fondue en un ensemble de pierre noircie par le temps d'où émerge la tour du clocher, ne donne pas la saisissante impression de grandeur que produit l'intérieur de l'église avec son écrasante masse de pierre incurvée en arcs et en voûtes à une hauteur peu habituelle dans des édifices similaires (pl. 31, 32). Et ceci malgré l'amputation, moyennant un mur, d'un des collatéraux. Cette amputation, réalisée après le tremblement de terre de 1427, réduisit la surface interne, impossible à conserver alors, puisque l'on ne pouvait plus refaire la voûte effondrée.

La basilique de Cassérres se développe sur une surface presque carrée, divisée par deux piliers cruciformes massifs recevant les deux grands arcs de séparation des nefs, et servant d'appui aux formerets qui divisent ces nefs par leur milieu (pl. 30). Les énormes voûtes en berceau s'alignent parallèlement à celles des collatéraux, un peu moins élevées que celle de la nef centrale, afin de constituer un ensemble

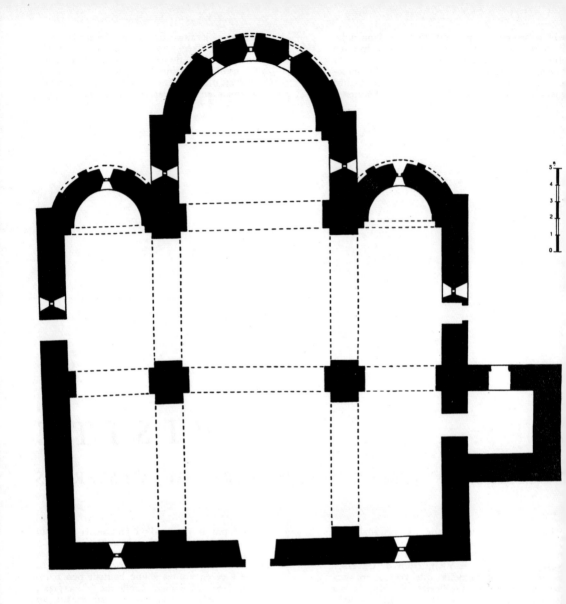

CASSERRES

massif sous les deux versants simples de la couverture. Le pavé rocheux s'élève vers le chevet et disparaît aux trois marches qui nivellent le sol du sanctuaire où se trouvaient les autels dédiés à saint Pierre, sainte Marie et saint Jean. Ce sanctuaire est constitué par les absidioles précédées de l'arc qui perce le mur du fond à la fermeture des collatéraux, et par un formeret qui prolonge la voûte de la nef principale sur un espace rectangulaire précédant la grande abside.

La structure de l'ensemble se développe en suivant strictement le plan établi, sans une interruption dans les murs, sans une concession à des fragmentations visuelles, rigide dans la sévérité des formes, qui comptent pour tout effet sur les incurvations des voûtes et des absides (pl. 31). La rusticité des blocs employés dans la construction, réalisée en pierre de taille, fait place à une plus grande perfection dans les parties hautes où la régularité des douelles des arcs semble conditionner l'usage d'une grosseur déterminée dans les parements des murs, alors que sur les piliers la diversité des tailles est évidente.

La faible lumière est tamisée par les trois fenêtres de la grande abside et par celles ouvertes respectivement dans chaque absidiole, de chaque côté du sanctuaire et dans chacun des murs latéraux, à proximité du transept, et aussi par les deux fenêtres du mur occidental correspondant au fond des collatéraux. Toutes ces fenêtres sont à double ébrasement à l'exception de la simple et longue fente avec douelles, pratiquée au milieu de la façade et des petits œils de bœuf circulaires perforant le mur au-dessus des absides. Outre l'entrée du cloître au milieu du mur du Midi, et celle du cimetière dans le mur opposé, il faut signaler la porte d'accès se détachant sur la façade avec son linteau en bois surmonté d'un arc en douelles qui offre la saillie externe d'une petite corniche (pl. 29).

Vu de l'extérieur, l'édifice forme une masse énorme aux murs absolument lisses sur le corps des trois nefs. Seul l'extérieur du chevet présente des saillies; sur chaque côté du corps qui précède la grande abside ainsi que sur les absidioles, elles sont formées par deux groupes de trois arcatures séparés par une lésène, mais sur l'abside centrale les arcatures se réduisent à deux et encadrent les fenêtres aveugles qui se développent sous une simple corniche formée d'un rang de dents de scie (pl. 28).

La construction de Cassérres précède de peu d'années celle de Cardona. Ils sont ensemble les deux édifices les plus importants actuellement conservés qui, dans la décade de 1030, donnèrent à un style sa forme définitive. Ces deux églises répondent au type basilical traditionnel, mais tandis qu'à Cardona celui-ci acquiert un renouvellement qui ne craint pas de changer la solution de la couverture et développe ce type dans toutes ses conséquences d'implantation, à Cassérres l'aire semble se rétrécir et vise à l'effet grandiose obtenu par les deux supports uniques qui conditionnent les voûtes, ceintes d'une seule bande de doubleaux. En réalité elle amplifie un plan cruciforme ici contenu en germe et qui sera appliqué dans de nombreuses églises où, plus tard, le dôme trouvera une gracieuse expression. Le cachet caractéristique du lombard imprime dans la rusticité de la masse la distinction d'un art défini. La fermeté et l'assurance dans l'exécution du plan prévu accusent la présence d'un maître d'œuvre habile qui, tout en s'adaptant aux matériaux du pays, réussit à les discipliner au service d'une structure.

La tour carrée du clocher, érigée presque en même temps que l'église, fut adossée au mur méridional de cette dernière, dont on profita pour constituer une des faces de la tour. Le corps inférieur lisse qui dépasse en hauteur la nef latérale, est couvert d'une voûte en arc de cloître de plan octogonal avec trompes sur les angles, selon une solution adoptée dans la construction des coupoles (pl. 33). L'étage supérieur, moins élevé, est recouvert d'une simple voûte en arc de cloître sur plan carré, revêtue d'une toiture à quatre versants. Sur chaque face de la tour s'ouvrent deux fenêtres dans le parement du mur placé quelque peu en retrait, entre les piliers d'angle, réunis dans leur partie supérieure par une légère corniche appuyée sur des consoles.

Le cloître – étudié par Puig i Cadafalch – aux simples arcades comme les cloîtres monastiques du Canigou, de La Pobla et de La Portella, et couvert en bois, permet, en dépit de son état de ruines et de désolation, l'identification des profondes transformations que l'on devine aux arcs des angles et surtout à la colonne surmontée d'un simple chapiteau orné dans sa partie supérieure d'arcatures encadrant une tresse, qui se trouve engagée dans le pilier de renfort formant angle, en face de la porte de l'église. Sa présence laisse supposer que la série de chapiteaux trouvés à Cassérres, et provenant de l'ancienne église, actuellement conservés au Musée épiscopal de Vich, auraient été utilisés dans la construction du cloître primitif qui, démoli par le tremblement de terre de 1427, aurait obligé à effectuer une reconstruction dont on aurait renforcé les angles par des arcs. On ne peut identifier les quelques dépendances monastiques restant encore debout au milieu de murs qui conservent des réminiscences de facture primitive et parmi des voussures massives avec fenêtres typiques de l'époque. Les restes, peu importants d'ailleurs, de décoration murale, qui avaient été signalés dans l'église et dans le cloître, ont disparu ainsi que les sépulcres dont les emplacements sont encore visibles dans les galeries Nord et Est.

DIMENSIONS DE CASSÉRRES

Longueur totale dans œuvre : 32 m.
Longueur totale intérieure des nefs : 18 m 67.
Largeur totale des nefs : 24 m 20.
Largeur de la nef centrale : 9 m 10.
Largeur des collatéraux : 5 m 35.
Hauteur de la nef centrale : 18 m 80.
Hauteur des collatéraux : 15 m 20.
Hauteur de l'abside centrale : 14 m 80.
Largeur de l'abside : 7 m 85.
Profondeur de l'abside : 4 m 30.
Hauteur des absidioles : 11 m 80.
Largeur des absidioles : 3 m 95.
Profondeur des absidioles : 2 m 10.

SANT LLORENÇ

ACCÈS

On prend la route de Terrassa à Talamanca jusqu'à Torre de l'Angel, à 7 km. 200 de Terrassa. Là, sur la droite, une route traverse la rivière de Les Arenes. On peut la suivre en voiture jusqu'à Pobla. De là on continue à pied par la piste qui passe à Frare, Hort dels Monjos, et l'on arrive à Sant Llorenç au bout d'une heure et quart.

La table des planches illustrant ce chapitre se trouve à la page 116.

Oₙ ne saurait rêver église mieux située que Sant Llorenç del Munt, nichée au sommet d'une montagne. L'ascension réclame un effort. Mais à chaque pas le paysage découvert est si beau qu'il rend la marche moins austère.

Le portail Ouest de l'église s'ouvre sur la chaîne de Montserrat : panorama grandiose qui forme contraste avec l'édifice lui-même, humble et rustique, d'une simplicité absolue, d'une vérité impressionnante.

Rien ici ne cherche à s'imposer. Il semble qu'au milieu d'un contexte aussi superbe, les bâtisseurs aient plus que jamais senti le besoin d'une sincérité accrue, d'un effacement accusé, tant ces caractères ont pu marquer le monastère, pauvre et nu, — alors qu'il semble dominer la Catalogne entière.

SOLITUDE DE SANT LLORENÇ

Face à la merveilleuse montagne de Montserrat hérissée de pics monolithes, sous le plus bel aspect de sa silhouette caractéristique, se dresse le massif de Sant Llorenç qui atteint une altitude de 1095 m. en une gradation de monts et de rochers reproduisant en partie les roches de Montserrat autrefois aiguës, aujourd'hui érodées par le temps. La montée découvre à chaque pas un panorama sans cesse plus grandiose qui, contemplé du haut du sommet arrondi, s'élargit et permet à la vue d'embrasser les vastes ondulations montagneuses qui se déploient depuis la chaîne des Pyrénées jusqu'au littoral de Barcelone où elles expirent en derniers replis. On ne pouvait rêver meilleur belvédère pour le monastère qui vint enchâsser ses fondations dans la haute roche nue, si loin de tout lieu habité, si près des nuages que souvent, durant les périodes d'hiver, il demeure enveloppé dans les brumes épaisses qui semble le soustraire à cette terre que l'on entrevoit tout juste depuis la hauteur, à travers quelque rayon de soleil venant fendre les brumes pour aller tomber, là-bas, tout au fond, sur la plaine. Le site, gage d'une solitude absolue, ignore les branchages d'un bois qui abriteraient le gazouillis des oiseaux, ou les vergers qui profiteraient de l'eau d'une fontaine, ou tout autre voisinage que celui des grottes disséminées à travers les failles et les précipices du mont. Vraiment il manque de l'aménité propice à l'établissement d'un monastère et ressemble bien plutôt à un lieu de défense ou de refuge dans lequel la pression des circonstances put, seule, obliger à situer la fondation d'une communauté religieuse. La vie dure et en quelque sorte inhospitalière imposée par le séjour en un tel lieu – d'ailleurs aggravée encore par le nombre élevé des habitants nécessité par les besoins de la vie monastique –, ne favorisa pas la prospérité ni le développement de la fondation située sur l'un des domaines des comtes de Barcelone qui la protégeaient, au delà de la période féodale; car alors la seigneurie de la montagne ne jouit plus du même prestige.

Le déroulement des siècles avec leurs innovations, leurs adaptations aux modes de vie de chaque époque, ont laissé intacte dans sa pureté primitive l'église consacrée en 1064, qui est ainsi demeurée immuable et n'a subi nul agrandissement postérieur. Nous pouvons de la sorte bénéficier d'un monument singulier qui, dans la réalité de ses pierres comme dans la rusticité de ses structures, a su assimiler le courant fécond du style alors prédominant, riche de formes et cependant témoin d'une culture unique : cette culture romane au sein de laquelle fraternisaient les peuples les plus divers, réunis par un idéal commun de rédemption par l'esprit.

TABLE DES PLANCHES

116

38

CORBERA

48

FRONTANYÁ

DIMENSIONS DE SANT LLORENÇ

Longueur totale dans œuvre : 23 m 20.
Longueur des nefs sans les absides : 18 m 90.
Largeur de la nef centrale près la porte : 4 m 25.
Largeur de la nef centrale vers l'abside : 4 m.
Hauteur de la nef centrale : 7 m 60.
Hauteur jusqu'au sommet intérieur de la coupole :
   10 m 70.
Largeur du collatéral Nord : 4 m 12.
Largeur du collatéral Sud près de la façade : 2 m 42.
Largeur du collatéral Sud près de l'abside : 2 m 17.
Hauteur des collatéraux : 4 m 70.
Hauteur d'une travée du collatéral : 7 m 40.
Diamètre de l'abside : 2 m 20.
Hauteur de l'abside : 5 m 40.
Diamètre des absidioles : 1 m 30.
Hauteur des absidioles : 3 m 40.
Épaisseur des murs : 0 m 90.
Épaisseur des murs des absides : 1 m 15.

HISTOIRE

HISTOIRE DE SANT LLORENÇ DEL MUNT

Il n'est pas possible d'imaginer la fondation d'un monastère sur le sommet inhospitalier de la haute montagne de Sant Llorenç sans un concours de circonstances tout à fait spéciales qui auraient obligé en quelque sorte à y installer un noyau monastique de façon permanente.

La tradition a expliqué ce fait en voyant dans les grottes et les recoins de la montagne un refuge où vinrent s'abriter les habitants de la ville d'Egara, alors évêché, actuellement appelée Terrassa, lors de l'invasion des armées arabes de l'an 714. Pendant la période sarrasine le refuge provisoire se serait transformé en asile permanent où les moines fugitifs se seraient rassemblés pour réorganiser leur vie monastique en ce lieu isolé au milieu des monts, ce qui les aurait mis à l'abri des incursions. La plupart de ces moines seraient venus du proche monastère de Sant Cugat del Vallès (Saint-Cucufat) alors abandonné et tombant en ruines.

En constatant les liens qui maintiennent uni le monastère de Sant Llorenç à celui de Sant Cugat, la documentation historique vient à l'appui de la tradition et la rend vraisemblable. En effet, il est très possible que pendant l'occupation agaréenne une population disséminée soit venue se fixer là, unie par une volonté commune de résister et de conserver son caractère et, comme le sens religieux persistait sûrement en elle, il ne dut pas manquer de moines pour l'entretenir.

Avec la libération définitive de la région – après la prise de Barcelone en 801 – et avec l'impulsion donnée à la réorganisation du pays par le capitulaire de Charlemagne accordé aux

habitants du château de Terrassa, il est bien possible que la construction du monastère s soit alors définitivement maintenue. Ce dernier n'avait pas été créé seulement en vertu de circonstances précédemment exposées, mais aussi par suite de sa position élevée et presqu inaccessible qui pouvait garantir son existenc en dépit des incursions dévastatrices qui s poursuivirent durant tout le IXe siècle.

La rare documentation que l'on possède son sujet affirme que le monastère existait partir de 947 et parle des églises Santa Maria Sant Miquel et Sant Llorenç sur le sommet d mont dominant Terrassa. Ces églises n'étaien en réalité que les autels consacrés et dédiés ces saints qu'abritaient les trois absides d'un construction de type basilical qui y subsist jusqu'au milieu du XIe siècle. On sait que l'églis monastique reçut des fidèles, des terres et de propriétés qui augmentèrent le patrimoin nécessaire à la subsistance des religieux.

Des documents d'une date très postérieur laissent comprendre que le monastère ava été rétabli par le comte de Barcelone et attach à la propriété de la maison comtale, et aussi qu les moines fondateurs avaient quitté le mona tère de Sant Cugat avec le consentement d l'évêque de Barcelone. En 973, le comte Borre dota de biens la fondation, et peu de temp après, vers 985, il céda sa possession au mona tère de Sant Cugat. En échange, il reçut d l'abbé de ce dernier, Jean, une compensatio de deux pensas d'argent. A partir de ce momen l'église de Sant Llorenç figure sur la liste d possessions du monastère de Sant Cug contenue dans l'ordre du roi franc Lothair

150

datant de 986, ainsi que dans les bulles des papes Sylvestre II en 1002, et Jean XVIII en 1007.

Depuis lors les abbés qui dirigent le monastère commencent à être connus, signe de la prépondérance acquise par la fondation, et cela ne manqua pas de créer une situation quelque peu gênante vis-à-vis du monastère dont elle dépendait, lequel, par ailleurs, contestait les droits de l'évêque de Barcelone. Cette situation ne fut résolue qu'en 1013 par un échange selon lequel le comte Raymond Borrell, annulant la donation faite par son père, récupérait la propriété de l'église Sant Llorenç et rendait au monastère de Sant Cugat les deux pensas d'argent. La bulle de Benoît VIII confirmant les biens de ce monastère en 1023 ne mentionne plus l'église Sant Llorenç.

La maison comtale de Barcelone protégea toujours cette église devenue sa propriété, au moyen de dons et d'échanges de territoires qui agrandirent son patrimoine. La comtesse Ermessenda se montra tout particulièrement sa protectrice. En 1049 elle lui céda le domaine de Castellar. Ce fut à ce moment, alors que le monastère de Sant Llorenç jouissait de son indépendance sous la protection directe des comtes de Barcelone et avait une situation économique assurée, qu'en 1052 il put faire l'acquisition de l'église de Castellar, en l'achetant à l'évêque de Barcelone pour la somme de trente onces d'or. Il se trouva aussi en mesure d'ériger une nouvelle église destinée à remplacer celle utilisée jusqu'alors par la communauté monastique. La construction fut commencée pendant les dernières années de l'abbé Odegari, mort en 1063. Le 24 juin de l'année suivante elle fut consacrée par l'évêque de Barcelone sur les instances des comtes de Barcelone Raymond Berenguer I et Almodis, et sur la demande du nouvel abbé Berenguer. Ils obtinrent de l'évêque la confirmation des champs, paroisses, dîmes, prémices, oblations des fidèles, en plus de celle du terrain représentant soixante pas autour du monastère – terrain destiné à devenir le cimetière –, moyennant respect et obéissance au Siège de Barcelone, – dîmes, alleus et prémices que les comtes possédaient dans les circonscriptions de Terrassa et Castellar étant toutefois exceptés.

Quelques dizaines d'années plus tard la splendeur atteinte par la nouvelle église fut étouffée sous l'ingérence de l'autorité monastique française qui, sous le prétexte de la réforme grégorienne, causa de profondes altérations dans les monastères de Catalogne. L'abbé de Sant Ponç de Tomeres, Frotard, s'appropria le monastère de Sant Llorenç et celui de Sant Cugat del Vallès et en expulsa les communautés pour y introduire des moines qui furent dirigés à Sant Llorenç par l'intrus Sanç depuis la fin de 1087 jusqu'à 1092. La querelle avec l'évêque de Barcelone, suscitée par tous ces faits, s'envenima rapidement et ne prit fin qu'en 1098 avec la dévolution des monastères à leurs anciens occupants.

Immédiatement après ces événements, le comte Raymond Berenguer III fit don du monastère de Sant Llorenç à celui de Sant Cugat, en sorte que de ce dernier vinrent les moines qui rendirent vie à Sant Llorenç. Ainsi celui-ci reprit sa place sur la liste des biens de Sant Cugat, confirmés par la bulle d'Urbain II du 1er décembre 1098. Il y eut sans doute des protestations de la part des anciens moines qui durent finalement se plier devant la décision prise par le comte, le 26 octobre 1099, de se dépouiller solennellement de ses droits sur le monastère, qu'il cédait à perpétuité à Sant Cugat. Il fondait sa renonciation sur le fait que le monastère de Sant Llorenç avait été construit par ses ancêtres et qu'il lui revenait comme héritage, comme aussi sur celui qu'en vertu des preuves apportées par les documents, il avait été construit pour être un alleu de Sant Cugat, et enfin, que de ce dernier étaient venus les fondateurs avec le consentement de l'évêque de Barcelone.

Cette dépendance entraîna une ingérence de l'abbé de Sant Cugat dans le régime de Sant Llorenç qui, bien qu'indépendant en tant que maison religieuse, devait reconnaître les droits de cet abbé quant à la nomination et l'élection de son propre abbé, en échange de quoi Sant Llorenç était redevable d'un tribut de trois aureos. Une telle situation, avec toutes les complications qui en résultèrent, donna lieu à un sérieux litige qui ne prit fin que le 4 mars 1168 par sentence rendue par les légats pontificaux devant assemblée épiscopale. Il fut décidé en effet que l'abbé de Sant Llorenç serait à l'avenir élu en toute liberté, mais que l'on devrait cependant accepter pour ce choix le conseil de l'abbé de Sant Cugat; le tribut fut réduit à deux aureos; toutefois le serment d'obéissance qui devait suivre l'élection fut maintenu.

En réalité le monastère avait perdu de son importance et la communauté, qui atteignait une vingtaine de moines à l'époque de la consécration de l'église, se trouvait alors réduite à quelque huit ou douze religieux et devait même n'en compter plus que quatre à partir du XVe siècle. La dureté de la vie dans l'âpreté de la solitude ne pouvait favoriser son accroissement. En 1437 un incendie dévasta l'église et diminua le prestige du culte. La vie aléatoire du monastère prit virtuellement fin en 1608, avec la mort du dernier des abbés commendataires; ceux-ci n'y avaient d'ailleurs pas même fixé leur résidence. Tout poussait donc à l'abandon total qui se consomma en 1804 et que suivirent de près désolation et ruines. La pauvreté antérieure, l'abandon, ont conservé le monument. Son effondrement fut empêché en 1868 par les soins de mains pieuses, et les générations actuelles l'ont rendu à sa simple, mais belle architecture.

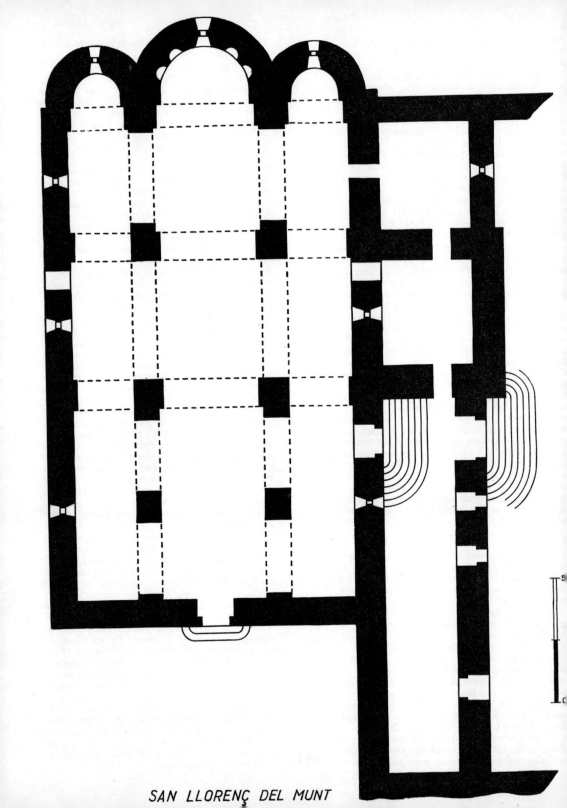

SAN LLORENÇ DEL MUNT

En s'y rendant par la route qui part de celle de Terrassa, la montée de Sant Llorenç se réduit, une fois dépassé le hameau de Can Pobla, à un sentier qui escalade la proéminence la plus élevée de la montagne. Au point culminant de celle-ci, sur la calotte sphérique qui la coiffe, on aperçoit la masse de l'église dont le gris rougeâtre des pierres contraste à peine avec celui des roches, mais dont la silhouette se détache fièrement à l'horizon (pl. 34). Les constructions plus récentes situées au Midi, pauvre souvenir de la résidence monastique, ont été aménagées récemment en refuge pour les touristes. Elles se distinguent du corps de l'église qui les dépasse et dont elles sont séparées par une cour intérieure, de même que du reste des constructions adhérentes, postérieures à l'édifice monastique de 1064. Une de ces constructions forme la longue salle qui sert de vestibule à la porte latérale, recouverte d'une voûte en quart de cercle et se continuant par une autre construction, sorte de tour de clocher peu élevée qui se termine en s'échelonnant après le premier étage.

Avant de pénétrer dans l'enceinte, on est tenté de promener son regard autour des absides, dans la direction Nord, pour mieux contempler dans l'austère simplicité de ses lignes la masse architecturale de l'église. Celle-ci présente une grande homogénéité dans toutes ses parties, depuis les murs rectangulaires et absolument lisses qui entourent les nefs avec la couverture de la nef principale un peu plus élevée, jusqu'aux trois absides qui jaillissent à l'extérieur (pl. 35), et à l'octogone du dôme qui se découpe sur le toit (pl. 38). L'emploi d'une pierre sableuse rougeâtre, arrachée à la montagne elle-

même et taillée avec rusticité en petits blocs irréguliers, imprègne l'église d'une chaude coloration soulignée par la pierre calcaire intercalée dans les douelles des arcatures et les rares fenêtres, dont trois sont situées respectivement au fond de chaque abside et trois sur chaque mur latéral. Le portique a disparu mais on en retrouve les traces dans les consoles enchâssées dans le mur de la façade. Celui-ci, solide et massif, est surmonté d'un pignon surajouté et ne possède pour toute ouverture qu'une petite fenêtre rectangulaire, sorte de judas bordé de pierre calcaire. La porte inférieure d'accès offre un linteau qui s'étend sous l'arc en douelles muni d'un rebord externe et un tympan formé d'une seule pierre lisse (pl. 36). Cette porte, semblable à la porte méridionale qui communiquait avec l'enceinte monastique, est très différente de la porte ouverte postérieurement dans le mur opposé pour communiquer avec le cimetière (pl. 37). L'ensemble extérieur exprime fonctionnellement la structure du temple, conçu comme le sent aussitôt celui qui y pénètre, non comme une basilique à trois nefs, mais plutôt comme une construction ayant pour base un plan cruciforme à coupole (pl. 39). Ce plan que l'art lombard a su utiliser d'une façon précise dans les églises de Sant Cugat del Raco, de Sant Daniel de Gerone et de Sant Pere de Ponts selon une tradition dont nous est témoin l'église carolingienne de Sant Pere de les Puelles, est ici agrandi et constitue une surface rectangulaire, obtenue par l'incorporation des espaces situés entre les bras de la croix. Les trois nefs ainsi formées se terminent à l'une des extrémités par trois absides et sont prolongées d'une autre travée à l'extrémité opposée.

153

L'ensemble ne s'éloigne donc pas de la distribution interne d'une basilique typique à trois nefs avec piliers de support, mais cependant la coupole est déplacée vers le milieu, à la manière des églises orientales; c'est ainsi que Puig i Cadafalch a pu établir un parallèle entre l'église de Sant Llorenç et celles de Sknipu en Macédoine et de Budrum Djami à Constantinople.

La simplicité est absolue, sans ombre de recherche dans la sincérité totale de la structure des murs; ceux-ci partent du plan tracé à même la roche vive, pour aller se refermer doucement dans les courbes semi-circulaires des voûtes, couronnées par la coupole à base octogonale sur trompes; la coupole passe insensiblement à la forme sphérique à mesure qu'elle s'élève. De même que dans les types basilicaux, les trois nefs sont divisées par des arcs ouverts sur des piliers rectangulaires et sans doubleaux. Ces derniers n'apparaissent que dans la travée transversale comme appui de la coupole (pl. 43). Les voûtes en berceau qui recouvrent les nefs, contreposées au croisement de la base de la coupole (pl. 39) et dont celles des collatéraux sont un peu moins élevées que celles de la nef principale (pl. 42), s'incurvent directement sur les murs sans aucun changement dans la forme et dans la disposition des blocs qui s'alignent pour former le massif.

L'impression d'unité absolue confère au monument un caractère de pur lyrisme primitif qui se glisse partout, court çà et là, revient avec l'ampleur d'un rythme qui, dans son langage rustique, crée l'ambiance propice au recueillement de l'esprit dans un équilibre de formes composé d'austérité et de grandeur. La légère convergence des nefs vers l'abside contribue grandement à cet effet. Elle ne fut certainement pas préméditée et paraît plutôt le résultat d'une erreur de construction, mais d'une erreur dont on doit se réjouir puisqu'elle enrichit l'émotion visuelle autour du centre liturgique du sanctuaire.

Les nefs sont clôturées par les absides qui s'incurvent sous les arcs obtenus par la perforation du mur de fond. Au milieu de chacune de ces absides s'ouvre une seule fenêtre à double ébrasement. Dans l'abside centrale cette fenêtre est très basse et ne laisse de place, de chaque côté, qu'à deux niches très simples et lisses, creusées dans l'épaisseur du mur (pl. 40). Par ce détail cette œuvre rappelle des constructions de la même époque où cet élément a été employé. Elle s'en rapproche aussi par l'unique décoration extérieure des doubles arcs divisés par des lésènes qui donnent leur cachet caractéristique aux murs des absides (pl. 35).

La signification du monument, à l'intérieur de la série des éléments caractéristiques mentionnés – qui laissent comprendre sa réalisation à partir du plan primitif –, suggère comment les constructeurs surent adapter les ressources dont ils disposaient, tout en acceptant de se plier aux formes strictes imposées par les méthodes rustiques et l'emploi des matériaux locaux que l'économie imposait.

CORBERA

ACCÈS

On prend la route nº 340 allant de Molins de Rei à Vilafranca del Penedés. A 200 m. avant d'arriver au kilomètre 340, on passe devant la mairie du Lladoner, et à environ 50 mètres on trouve sur la droite la route qui mène à Sant Ponç.

La table des planches illustrant ce chapitre se trouve à la page 116.

DANS son élévation comme dans son plan, l'église Sant Ponç de Corbera semble avoir été bâtie avec le dessein de surprendre.

Le clocher du transept en effet, qui domine l'édifice, semble n'être point à l'échelle du monument. A cette forte église, au chevet trapu, enraciné dans le sol, il apporte une conclusion humble et légère. C'est elle qui s'aperçoit tout d'abord.

La nef, elle aussi, ne laisse pas prévoir les surprises du transept : l'énorme coupole, surtout les deux bras qui amplifient encore l'espace, accusent une manière de pyramide au centre de l'église. Vision admirable, inoubliable.

Cette ampleur interne, ainsi masquée au premier regard, prend plus de force et s'impose au fidèle, à l'image du monde surnaturel dont la grandeur ne devient vraiment sensible qu'avec le temps et l'expérience.

ISOLEMENT DE CORBERA

Lorsque l'on pénètre dans le réduit montagneux où se laisse entrevoir la silhouette de l'église Sant Ponç de Corbera, et à mesure que l'on approche de ses murs, on perçoit mieux la force de sa masse, presque abandonnée dans le paysage, tel un bloc tombé de la hauteur des siècles. Son architecture limpide surprend l'esprit, saisit les sens, secoue l'imagination. La pierre s'élève et s'ordonne en un fonctionnalisme précis, sans un seul détail qui puisse manquer à sa raison d'être ou trahir sa signification. Elle est là en fonction d'église, rien de plus. Rarement monuments similaires produisent une telle impression d'isolement dans le temps et dans l'espace. En général ils apparaissent plus ou moins entourés, baignent encore dans leur ambiance, comme ciselés par l'histoire, expliqués par la vigueur qui imprima en eux esprit et forme, sous une lumière dont l'éclat se révèle soit dans la pénombre, soit dans les ombres qui l'accusent par contraste. A Corbera, l'architecture ferme et précise se présente comme la matérialisation d'un édifice qui fut jadis consacré à Dieu, et dans lequel se trouvent conservés la place occupée jadis par ceux qui l'offrirent, l'espace où se tint le peuple, la courbure des absides formant une auréole autour de l'autel, les voûtes soutenues et comme élevées par le souffle de la prière lointaine. Le tout pétrifié en un vide de plusieurs siècles, en manière d'immuable témoignage d'un moment créateur inconnu ! Il faut fouiller au plus profond du monument pour découvrir, dans son existence passée, la présence d'un culte monastique. L'imagination, alors éclairée, peut ajouter Corbera à la longue liste des monastères qui se répandirent depuis les chaînes des Pyrénées jusqu'aux rivages de la Méditerranée, et constituèrent des centres actifs de colonisation. Mais bien qu'il soit impossible ici de tirer au clair l'histoire du monastère, on ne peut manquer cependant d'en ressentir le souffle : celui qui suscita un rythme ordonnateur tel qu'il est encore sensible dans l'austère rigidité des formes architecturales, ces formes dans lesquelles se précise et se fait jour la continuité progressive d'un style. C'est un art lié à la vie et accompagné d'un élan de rénovation spirituelle, qui s'imposait alors, en tout lieu où un monastère s'implantait, construisait une église plus importante, en toute région où une paroisse atteignait à sa maturité et, par le travail collectif de ses fidèles, élaborait son centre religieux, en tout domaine où une chapelle était érigée sous l'impulsion d'un seigneur, à l'intérieur de son château ou de ses terres. L'intensité d'une telle manifestation forme la base sur laquelle – lorsqu'on appliqua des formules précises au plan et à l'élé-vation, qui eux pouvaient varier selon les nécessités entraînées dans chaque cas par les conditions de la vie religieuse –| les maîtres d'œuvre, constructeurs, tailleurs de pierre, ouvriers, s'exprimant en une langue et selon une méthode communes, purent se mouvoir avec une certaine liberté d'initiative , qui visait bien plutôt la combinaison des éléments que leur création même. De là la variété des nuances, l'expression plus ou moins forte des structures, les solutions diverses à l'intérieur de plans déter-minés qui laissèrent le champ libre à la diffusion d'une telle architecture. Celle-ci en effet acquiert progressivement une faculté d'adaptation au sein de ses propres ressources, et parvient de temps à autre à des résultats impressionnants, là où elle utilise à fond les moyens d'expression les plus authentiques.

HISTOIRE

HISTOIRE DU PRIEURÉ SANT PONÇ DE CORBERA

Le hameau de Corbera se trouve situé à l'intérieur du massif de Garraf qui sépare la région du Penedès de la côte occidentale. L'actuelle ville de Corbera de Llobregat, à quelque 10 km de Molins de Rei, se forma au pied d'un vieux château dont le domaine s'étendait sur la région montagneuse que l'on organisa en lieu de défense à partir du moment où la reconquête s'affermit de l'autre côté du fleuve Llobregat. Le monastère se dresse à bonne distance du château et de la ville, réduit à l'église et à une maison de campagne qui ne garde aucun vestige de l'édifice claustral. Ses origines sont aussi inconnues que le déroulement de son histoire, par suite des péripéties que supporta, à travers tant de siècles, la petite communauté qu'il abrita, par suite aussi de l'absorption prématurée de celle-ci et de sa disparition au cours des siècles, fait qui n'a pas favorisé la conservation des documents susceptibles de nous éclairer à son sujet. Déjà en 1713 l'auteur du *Miroir (Especulo)* des actes se rapportant aux cens que l'on percevait encore à cette époque, remarque que dans toutes les écritures que l'on a pu recueillir au sujet du monastère, il n'en a pas été trouvé qui fût de nature à éclairer ses origines ou qui permît d'enregistrer les privilèges qu'il reçut.

Le monument constitue donc le document le plus ancien qui nous reste. Il témoigne de la présence d'une église dédiée à saint Pons, martyr vénéré de la localité de Cimiez dans les Alpes, dont le culte pénétra en Catalogne aux temps de la reconquête. On ne peut préciser si à Corbera ce culte fut inauguré par une église antérieure ou s'il s'y fixa avec la construction de l'église actuelle. On ne sait pas non plus s'il commença avec la fondation monastique qui, dans son développement, aurait été à l'origine de l'érection de ce temple. On sait en tout et pour tout que Corbera fut un prieuré de l'ordre de saint Benoît, comme beaucoup d'autres qui, dès la fin du Xe siècle, s'établirent pour favoriser le repeuplement des territoires en voie de consolidation. Il fut bientôt assujetti à Cluny et passa sous la dépendance du monastère de Sant Pere de Cassérres comme il apparaît en 1277 lors d'une visite que les moines de l'Ordre effectuèrent dans ce dernier. Quelques siècles plus tard il fut dirigé par des prieurs commendataires. L'un d'eux nous est du moins connu : Francisco de Corbera, prieur en 1550.

Lorsque l'union des abbayes et des prieurés bénédictins fut réalisée vers la fin du XVIe siècle, le prieuré de Sant Ponç fut uni au Collège Royal de jeunes moines étudiants, établi à Lérida, dont le prieur recevait les rentes et désignait les prêtres qui desservaient l'église abandonnée par les moines, et considérée dès lors comme simple suffragante de la paroisse de Santa Maria de Corbera.

Un tel abandon contribua à conserver ce monument sans qu'il eût à souffrir des transformations qui, à partir du XVIIe siècle, affectèrent la plupart des églises. On les adapta alors aux nouvelles modes architecturales et aux exigences introduites par la dévotion, en les agrandissant par l'adjonction de chapelles. Seul l'intérieur subit plus tard un crépissage qui voila la nudité et la pureté des lignes architecturales ; les légères ajoutes dans la construction et la réparation des lézardes des murs n'affectèrent cependant aucune des parties essentielles. Les travaux de restauration commencés au début du siècle dans le but d'empêcher la ruine ont été repris récemment par le Service de Conservation des Monuments de la Province de Barcelone ; le dôme a été consolidé ainsi que les murs, que l'on a d'abord libérés de leur crépi, ce qui a rendu à la structure son caractère originel.

160

COMMENT VISITER SANT PONÇ DE CORBERA

Pittoresque à l'extrême est la position du prieuré monastique qui vient suspendre son nid sur le sommet de la légère proéminence d'une colline qui émerge parmi les plans inclinés d'une vaste gorge dans la région du Bas Llobregat (pl. 45). Face à la magnificence de la nature, sous le manteau velouté des cimes touffues des sapins, brodé par l'or automnal des vignobles, l'esprit de recueillement religieux ne pouvait trouver lieu plus propice à la contemplation dans la retraite de la solitude, ni plus propre à l'érection d'une construction qui apparaît vraiment comme un joyau enchâssé dans le paysage.

Les fondateurs anonymes qui le choisirent et les moines qui s'y réunirent, s'appliquèrent avec soin à lui imprimer toute l'exquise sensibilité de leur époque. La richesse qu'ils déployèrent dans la construction exigea la présence de maîtres d'œuvre et de tailleurs de pierre habiles dans l'art de polir, de modeler et aptes à concevoir et à réaliser une œuvre solide qui de nos jours encore, constitue un des modèles les plus achevés parmi tant de monuments dont la conservation témoigne de l'importance et de l'éclat d'un style.

Comme dans la plupart des églises à résidence monastique, on choisit le type le plus utilisé peut-être par les chanoines augustins, c'est-à-dire le plan d'une nef avec transept et trois absides, surmonté ici d'une coupole à la base d'un clocher.

L'expérience acquise au cours d'une application intense de formules de construction dans le domaine des œuvres lombardes, application qui dépendait du plan donné à l'église d'une part, et de l'autre, de la finalité que, dans chaque cas, celui-ci pouvait imposer, permirent d'amalgamer et de fondre en un tout harmonieux des éléments divers qui, sans sortir de leur propre climat, contribuèrent à la réussite d'une synthèse parfaite dans une œuvre exécutée sans hésitations.

Ici en effet nul tâtonnement dans le tracé du plan d'une nef avec transept et trois absides, plan qui s'aligne géométriquement et se voit recouvert, dans les bras du transept, de voûtes semi-circulaires parallèles à celle de la nef centrale, comme dans les églises types à trois nefs (pl. 53).

L'épaisseur des murs est réduite par suite des formerets qui déterminent la présence de trois arcades incrustées tout le long du mur de la nef en conjonction avec les doubleaux de renfort de la voûte (pl. 49, 52). Celle-ci est en berceau ininterrompu dans le transept et forme devant l'ouverture de chaque abside un ample chœur, élément qui fut adopté ici mais qui, ailleurs, reste souvent réduit à un simple arc de largeur plus ou moins grande. Tandis que les absides collatérales sont lisses à l'intérieur avec une seule fenêtre au fond (pl. 55), l'abside centrale contient trois niches qui s'ouvrent dans la partie supérieure, au-dessous des trois fenêtres qui, contrairement à ce qui arrive couramment, ne se trouvent pas à l'intérieur des niches (pl. 51). Une autre particularité consiste en l'élévation de la coupole de forme presque sphérique sur la base rectangulaire du transept, au moyen de deux arcs parallèles qui la réduisent à un carré, dans les murs de charge duquel se développent les trompes coniques (pl. 54). Une telle solution a été adoptée volontairement afin d'obtenir ces deux arcs qui continuent le rythme des arcatures qui domine sur les murs latéraux de la nef (pl. 49). Dans l'intention de donner plus de relief à ce point névralgique de la construction, les piliers des formerets du transept sont construits comme des demi-colonnes avec une saillie supérieure qui s'amortit à la naissance des arcs (pl. 55, 56); il en est de même pour les

161

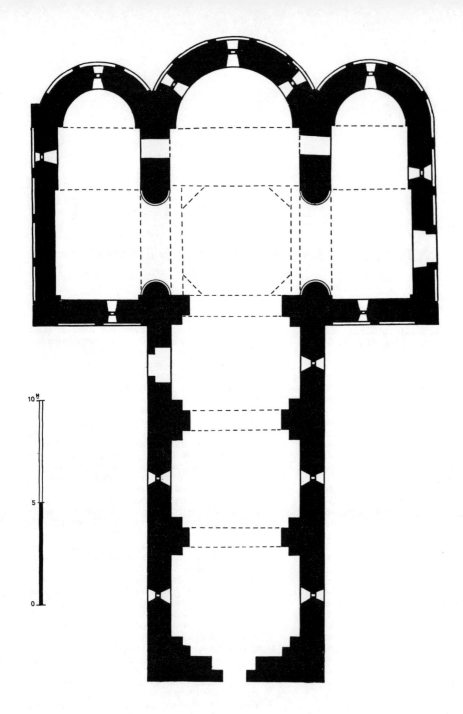

10 M

5

0

CORBERA

mpostes en simples petits blocs qui, en guise
e corniche, soulignent la naissance de la voûte
e la nef (pl. 50).

Cette fusion d'éléments dans l'ordonnance
e la structure de l'église crée un rythme
mpressionnant de beauté. L'équilibre y est
tteint par l'harmonieuse succession des courbes
ominantes qui émergent de la masse de pierre.
l offrait certainement une austérité plus intense
ncore lorsqu'il contrastait avec la décoration
urale des absides dont il ne reste aujourd'hui
ue quelques vestiges, notamment la représen-
ation de la croix à l'intérieur de l'une des
iches, et un fragment à côté d'une fenêtre,
ù des entrelacs végétaux, qui s'étendent vers
intérieur de cette dernière, se voient mêlés à
es figures d'animaux (pl. 51). La profusion
e la lumière vient du grand nombre de fenêtres
double ébrasement, et doit être spécialement
emarquée. En plus de celles déjà mentionnées
ans les absides, il faut noter les fenêtres sur
hacun des parements au-dessus des arcs
entraux du support de la coupole, dans
eux du transept et de la nef non occupés
ar l'ouverture des portes, ainsi que sur le mur
e la façade où, en plus des deux fenêtres infé-
ieures, il s'en trouve une autre, double,
ans la partie supérieure, partagée par une
olonnette (pl. 44); enfin, sur le mur du fond
e chaque bras du transept, s'ouvrent des
icarnes typiques en forme de croix (pl. 57).
omme dans toute église monastique, on y
rouve trois portes en arc surbaissé : la porte
rincipale à la façade, pour les fidèles; la porte
onastique dans le mur latéral du transept,
u côté du Midi, et, du côté opposé, ouverte
a la troisième travée de la nef, celle qui devait
ommuniquer avec le cimetière.

L'extérieur de l'église traduit rigoureuse-
ent la même simplicité de structure, avec
ne couverture à double versant sur le corps
ui précède les absides (pl. 47); la toiture du
ransept est plus élevée, mais elle continue les
ersants du toit de la nef. Il y a un certain
ontraste avec le corps du dôme qui, aban-
onnant une expression plus courante à cette

époque, se réduit à un bloc rectangulaire à
murs lisses et à couverture pyramidale d'où
dépasse le clocher à deux étages avec une seule
fenêtre sur chaque face inférieure, et deux
fenêtres jumelées, partagées par une colonne,
sur les faces supérieures (pl. 46, 47, 48).

En utilisant la pierre calcaire, simplement
taillée, sans la polir, les constructeurs s'appliquèrent à employer des petits blocs en assises
très soignées à l'extérieur, alors qu'à l'intérieur
ils les avaient laissés irréguliers, mettant même
à profit ceux d'entre eux qui présentaient une
plus grande taille.

L'extérieur s'orne donc de saillies qui s'étendent depuis la façade jusqu'aux murs de la nef
et du transept en formant des doubles arcatures divisées par les lésènes comme dans les
plus beaux modèles romans (pl. 48). Cependant
le rythme change vers les absides où il se
réduit à une seule arcature plus ample qui se
poursuit dans le revêtement de l'abside centrale
et s'agrandit sur la courbe des absidioles et des
côtés attenant à celles-ci (pl. 46, 47). Le rythme
des arcatures doubles, commencé aussi sur la
façade, fut changé au cours de la construction
par suite de l'ouverture de la fenêtre double
qui mutila la lésène centrale, donnant ainsi
une suite de quatre arcatures (pl. 44).

Les seuls éléments étrangers à l'unité de la
construction sont les colonnettes qui partagent
les fenêtres de l'étage supérieur du clocher.
Leurs chapiteaux trapézoïdaux sont ornés de
compositions symétriques de feuillages entrelacés, tandis que le chapiteau du même type
de la fenêtre de la façade reste complètement
lisse.

Synthèse et compilation d'éléments et de
solutions, l'œuvre recueille, dans sa structure,
la meilleure tradition du courant le plus pur
qui, manifesté à Cardona et dans le cercle de
constructions apparentées, se voit ici porté à
la perfection. Cela laisse supposer l'intense
diffusion de ce style, dont témoigne du reste
abondamment la multitude d'œuvres exécutées
alors, vers la fin du XIe siècle.

DIMENSIONS DE CORBERA

Longueur totale dans œuvre : 30 m 50.
Longueur de la nef : 24 m 20.
Largeur de la nef : 6 m 20.
Longueur du transept : 5 m 20.
Largeur du transept : 17 m 40.
Largeur des croisillons : 4 m 40.
Longueur de l'espace précédant l'abside : 2 m 80.
Largeur de cet espace : 6 m 10.
Largeur de cet espace devant les absidioles : 3 m 80.
Largeur de l'abside : 5 m 60.
Profondeur de l'abside : 2 m 80.
Largeur des absidioles : 3 m 40.
Profondeur des absidioles : 1 m 80.

FRONTANYA

ACCÈS

On prend la route de Sant Quirico de Besora à Berga jusqu'au village de Borreda. De là part le chemin qui mène directement à Frontanyà en 7 km.; mais il n'est praticable qu'en jeep.

La table des planches illustrant ce chapitre se trouve à la page 116.

FRONTANYÀ, *isolé dans la montagne, ne se laisse atteindre que par un chemin médiocre qui semble fait pour décourager le visiteur.*

C'est pourquoi l'étude et les photographies qui suivent rendront service à beaucoup, leur permettant d'approcher sans effort un monument remarquable, caractérisé, à l'intérieur de la sévérité de son style, par sa finesse.

Dans ces lieux où, même de nos jours, il est si difficile de parvenir, on reste confondu à la pensée que, voici neuf siècles, un art aussi élégant, aussi raffiné, ait pu éclore.

Telle est bien la vraie culture chrétienne qui, en des régions aussi déshéritées par la nature, aussi pauvres, a su révéler richesse véritable et splendeur.

L'EXEMPLE DE FRONTANYA

La rapidité avec laquelle se multiplièrent les communautés de chanoines réguliers, qui suivaient la règle de saint Augustin et prenaient pour modèle le monastère Saint-Ruf d'Avignon, est un phénomène particulier à la Catalogne durant les dernières décades du XIe siècle. On ne saurait expliquer ce phénomène sans supposer l'existence antérieure de centres religieux qui avaient établi la vie commune des prêtres; s'adaptant aux objectifs de la réforme ecclésiastique imposés par les légats du pape, ces institutions se rallièrent au nouveau mode de vie prévu par la règle canoniale qui, à partir des cathédrales, se répandit rapidement dans tout le pays. La présence de telles églises est certaine durant la première moitié du XIe siècle pendant laquelle l'évêque de Vich, Oliba, veille à leur création à Sant Joan de las Abadesses et à Cardona, et que son exemple est suivi par d'autres évêques dans leurs diocèses. L'époque précédente avait été celle de l'expansion monastique dont les fondations étaient destinées à fixer la population rurale. Leur enracinement définitif, les immunités obtenues et les dotations de patrimoine assurant leur vie, avaient assurément entraîné une certaine émancipation de ces monastères à l'égard de la tutelle épiscopale, mais ils avaient aussi constitué un moyen efficace de réorganisation religieuse, et cet exemple incita les évêques à faire bénéficier également les clercs de la vie commune en des centres déterminés d'où ils pouvaient exercer une action directe sur une paroisse plus ou moins étendue. De cet effort devait découler non seulement une amélioration dans la formation et la sélection du clergé, mais encore un moyen de défense efficace contre les ingérences des seigneurs féodaux. Aussi, lorsque la réforme fut imposée vers la fin du siècle, le terrain était-il tout préparé à une acceptation rapide de la règle augustinienne. Les communautés de chanoines réguliers, bien que répandues à travers les terres de l'Ouest du pays, à peine arrachées aux infidèles sarrasins – il s'agissait alors de fondations auxquelles était confiée la mission jadis réalisée par les moines – prirent racine surtout à l'intérieur du pays, en des régions où la vitalité religieuse révélait l'action de leurs prédécesseurs, et où la population rurale était justement la plus dense, autour des domaines monastiques encore en plein épanouissement à cette époque. Leur rapide apparition coïncide avec le développement de l'architecture qui distingue leurs églises, non pas dans le sens que ces fondations auraient contribué à la diffusion d'un style propre, puisqu'en certains cas elles utilisèrent des édifices construits antérieurement, mais parce qu'en général elles adoptèrent un type déterminé : le plan cruciforme avec une nef, un transept et trois absides, qui répondait le mieux aux exigences liturgiques de la communauté. Sant Jaume de Frontanyà, construit sur ce plan, en constitue l'un des exemples les plus caractéristiques. Malgré l'obscurité de son histoire, on imagine l'ampleur de son importance puisqu'il se développa dans une région dont une grande partie des terres appartenait à divers monastères et où commençait à se bâtir le monastère de Sant Pere de la Portella, à peine fondé en 1003. La construction de Frontanyà précède donc l'imposition de la réforme claustrale et se développe suivant le type architectural qui obtiendra par la suite les préférences. L'œuvre est réalisée au moment le plus favorable : celui où le jeu des éléments est juste capable d'arriver à des solutions définitives sans s'éloigner toutefois du rigide fonctionnalisme qui détend sa sévérité dans le fini de la structure, comme dans les détails des saillies, son unique ornement.

Ce n'est pas à tort que l'on regarde Frontanyà comme un modèle, et qu'il fut considéré comme tel par le courant qui consacrait alors toutes ses énergies à la construction des églises.

HISTOIRE

HISTOIRE DE SANT JAUME DE FRONTANYA

Au début du XIe siècle, lorsque l'extrémité orientale de la région de Berguedà, située dans le prolongement du comté de Cerdagne et à l'intérieur du diocèse d'Urgell, fut à peine arrachée à l'invasion sarrasine, il y eut une première tentative de repeuplement; mais la partie montagneuse du pays fut bientôt abandonnée. Le repeuplement effectif ne fut réalisé qu'à partir de 878 lorsque Guifred le Velu organisa les châteaux, les villes et les églises. Le village de Frontanyà, dans les limites du Ripollés et du Lluçanés, fut l'un des derniers établis par les soins de l'évêque d'Urgell, Nantigis, qui érigea les églises des alentours, comme celle qui se trouve sur le sommet de La Quar, venue supplanter en 900 un lieu de culte idolâtre, et d'autres comme celles de Frontanyà, Vilada, Avià destinées au service religieux de la population rurale. Les fils de Guifred le Velu, les comtes Guifred et Miron de Cerdagne, qui favorisèrent ces constructions, assistèrent, en 905, à la cérémonie – effectuée par l'évêque Nantigis – de la consécration solennelle de l'église de Frontanyà, dédiée à l'apôtre saint Jacques dont le culte commençait à s'introduire dans le pays.

Par son renom cette première église acquit une certaine primauté sur celles qui surgirent peu à peu aux alentours, à mesure que le repeuplement s'intensifiait. L'absence de documents empêche d'affirmer avec pleine certitude la constitution, dans cette église, d'une communauté ecclésiastique qui expliquerait seule le développement ultérieur d'une résidence de clercs assujettis à la règle de saint Augustin, selon la réforme diffusée durant le dernier quart du XIe siècle. Ce noyau ecclésiastique

justifierait aussi la construction, à ce moment, d'une église aussi importante et aussi belle. Le legs testamentaire d'une once d'or fait à l'église Sant Jaume de Frontanyà vers la fin de 1074 par le seigneur du château voisin de Lluçà, Folc Seniofred, frère de l'abbé de Vich, Berenguer Seniofred – lui-même promoteur de la réforme – donne une date qui pourrait être celle à laquelle fut commencée la construction de l'église actuelle au plan cruciforme avec trois absides, comportant des autels dédiés à saint Jacques, saint Pierre, saint Jean.

En 1592 la suppression de la maison entraîna la dispersion et la disparition des archives. Grâce à certains documents retrouvés çà et là on connaît le nom de plusieurs prieurs et clercs qui y vécurent, et l'on sait aussi qu'au Moyen Âge elle se trouvait enclavée dans la baronnie de Mataplana, étendant son autorité sur plusieurs paroisses telles que Santa Cécilia de Riutort et Santa Madalena de Soriguera. Mais les documents manquent qui permettraient de situer ses origines, d'indiquer quelle protection lui fut dispensée par les seigneurs de la région et feraient connaître la prépondérance qu'elle acquit à son apogée : de cette époque, le seul témoignage visible de nos jours, est l'édifice même de l'église.

A partir du XVIIe siècle, une fois supprimée la charge canoniale, il dut y demeurer une communauté de clercs de plus en plus réduite attachée au service de la paroisse rurale et dirigée par des prieurs en titre qui n'y résidaient pas, et étaient choisis parmi les hauts dignitaires ecclésiastiques.

La vie languissante des époques postérieures, l'extinction progressive du village, contrièrent à la parfaite conservation de l'édifice. celui-ci ne subit d'autres modifications que le murage des portes latérales, l'ouverture d'une fenêtre circulaire sur la façade, en plus d'un crépissage intérieur qu'il a suffi de suppri-mer récemment pour rendre à la structure son caractère originel. Par contre on ne peut que déplorer la disparition du cloître qui existait encore au XVe siècle. Construit du côté Sud, entouré des dépendances monastiques, il a fait place maintenant à un presbytère vulgaire, sans caractère.

V I S I T E

COMMENT VISITER SANT JAUME DE FRONTANYA

Il n'est pas aisé d'atteindre l'église Sant Jaume situ
ée dans le territoire de Frontanyà, pays montueux et accidenté qui ondule dans la partie située entre les régions du Berguedà et du Ripollés, en marge des routes praticables. Par des sentiers de montagne au milieu de rochers escarpés on arrive au pied d'une falaise où se groupe le hameau, serré autour de l'église (pl. 59).

Mais dès l'arrivée le touriste est récompensé de sa peine lorsqu'il se trouve en face d'une des structures romanes les plus surprenantes par l'unité de son plan et la simplicité de sa construction, édifice exemplaire, aux lignes pures, qui évoque l'un des meilleurs moments de l'architecture du XIe siècle (pl. 58).

Seul le presbytère adhérant au mur du Midi et situé dans une partie des constructions sans caractère qui forment les restes ultimes du vieux monastère, empêche la vision intégrale de

l'église. Du moins en peut-on contempler librement les trois autres côtés, bâtis avec une précision fonctionnelle qui accuse parfaitement le plan de trois absides ouvertes sur un transept avec intersection d'une nef unique à la base d'un dôme (pl. 59, 60).

La masse de pierre se dresse – caractérisée par la succession des corps jusqu'aux lignes de la couverture, par le demi-cône surmontant les absides, par les doubles versants du transept et de la nef, par le dodécagone du dôme – sans nulle autre ajoute que celle du pignon, érigé postérieurement sur le frontispice de la façade (pl. 61). La masse compacte des murs est bâtie en appareil régulier, en assises super-posées de petits blocs tendant à augmenter de volume, équarris selon une technique réalisée avec de plus en plus de maîtrise. Leur mono-tonie est brisée dans les parties proéminentes : chevet, façade, dôme; les arcatures typiques

171

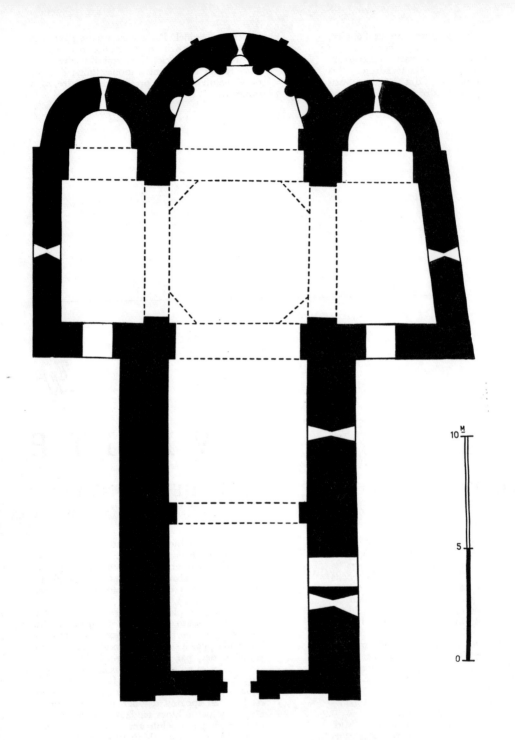

FRONTANYÁ

et les arcs aveugles festonnent sous les avant-toits des couvertures, créant un sévère jeu de lignes qui égaye la construction et marque le point de départ interne des voûtes.

Sur les douze faces du dôme, recouvert en pyramide, apparaissent des fenêtres aveugles, à l'intérieur d'une galerie de petits arcs qui s'étendent tout autour (pl. 62). Au milieu du mur du tambour qui retombe sur l'abside, s'inscrivent trois grandes arcatures dont celle du milieu, plus élevée, renferme une fenêtre. De chaque côté s'étendent cinq arcatures aveugles encadrées par des lésènes. Ce même rythme décoratif se développe sur le mur extérieur de l'abside centrale, avec des groupes de cinq arcatures entre lésènes, alors que sur les absidioles latérales les arcatures s'étendent sans interruption, laissant en dessous d'elles le mur complètement lisse. L'unique fenêtre, située au milieu de chaque abside, crée une fente obscure et profonde qui contribue à rehausser le plan des décorations arquées sur le massif du fond. Un mouvement identique se produit sur le mur de la façade, traversé, au-dessus de la porte d'accès, d'une bande horizontale elle-même coupée en trois parties par des lésènes. Chaque parement ainsi obtenu est clôturé dans sa partie supérieure par des groupes d'arcatures, sauf au milieu de la partie inférieure dans laquelle s'ouvre la porte, avec un double arc simple en retrait et sans linteau. Une fenêtre cruciforme achève le parement central supérieur où l'on ouvrit plus tard la baie circulaire qui brise, aujourd'hui encore, la grâce de l'ensemble (pl. 61).

L'intérieur de l'édifice répond à la sveltesse de proportions. A le voir, on sent bien que les constructeurs étaient sûrs des résultats qu'ils obtiendraient. L'église comprend une nef unique divisée en deux travées par un arc doubleau et couverte, ainsi que les bras du transept, d'une voûte en berceau (pl. 64). Ces derniers s'insèrent dans la nef dont ils ont la hauteur, afin de donner naissance à la coupole; la voûte de celle-ci est formée de huit pans cylindriques et soutenue par des trompes dont la base est constituée par les formerets. Les absides se trouvent encadrées par des arcs d'ouverture; les deux latérales sont absolument lisses,

celle du milieu est ornée de cinq niches creusées dans l'épaisseur du mur et délimitées par des arcatures qui reposent sur des demi-colonnes adossées au mur (pl. 63). On notera l'inter-position, entre les arcatures et les colonnes, d'un bloc rustique qui ne réussit pas à avoir l'aspect d'un chapiteau.

La précision nette des courbes des arcs et des voûtes ondulant sur l'étendue rectiligne des murs, crée une ambiance de sévérité majestueuse qui n'est altérée par aucun élément étranger. Tout ici est pure et nue architecture, nuancée par l'emploi de matériaux de pierre qui se resserrent en éventail dans la fermeture des voûtes et se réduisent dans le volume du bloc à mesure que les assises couvrent la voûte des absides et de la coupole; ceci contribue à donner une impression d'élévation qui, au regard, allège la forme massive de l'ensemble, car la lumière, à travers les rares fenêtres, accuse le relief des blocs. Ces fenêtres, de taille réduite et à double ébrasement, sont distribuées à raison d'une au fond de chaque abside, une à chaque extrémité du mur du transept, deux dans le mur méridional, une, plus élevée, placée sur l'abside centrale, au-dessous de la coupole, et enfin une, en forme de croix, située dans le mur de fond de la façade.

En plus de la porte principale il en existait trois autres, murées actuellement : deux à chaque bras du transept en face des absidioles; la troisième dans le mur méridional, toutes trois construites en forme de simples arcs surbaissés. Les deux portes donnant du côté du Midi communiquaient sans doute avec le monastère, alors que celle du côté opposé s'ouvrait sur le cimetière.

On sait qu'en 1074 l'église était en construction. Elle est donc postérieure à celle de Sant Llorenç del Munt, consacrée en 1064, avec laquelle ses murs présentent certaines analogies de facture. Elle est également postérieure à celle de Sant Martí de Sescorts, consacrée en 1068, dont elle semble une réplique sous plusieurs aspects, bien que Frontanyà soit beaucoup plus parfaite et développée. Puig i Cadafalch fait allusion à sa ressemblance avec l'église italienne Santa Maria de Portonovo.

DIMENSIONS DE FRONTANYA

Longueur totale dans œuvre : 30 m.
Longueur de la nef : 22 m 20.
Largeur de la nef : 6 m 30.
Hauteur de la nef : 10 m 96.
Longueur du transept : 6 m 30.
Largeur du transept : 16 m 60.
Largeur du croisillon Nord : 3 m 70.
Largeur du croisillon Sud près de l'abside : 3 m 80.
Largeur du croisillon Sud : 4 m 80.
Hauteur des croisillons : 10 m 96.
Largeur de l'abside : 5 m 70.
Profondeur de l'abside : 3 m 80.
Largeur des absidioles : 2 m 80.
Profondeur des absidioles : 1 m 80.
Hauteur extérieure au sommet de la coupole :
    19 m 20.
Hauteur intérieure de la coupole : 15 m.
Hauteur extérieure jusqu'au faîte du toit : 12 m 80.

TAULL

ACCÈS

On prend la route n° 340 allant de la Pobla de
Segur à Pont de Suert. A 5 km. au delà de cette
dernière localité, part sur la droite la route qui
mène à Boï; de là on monte à Taüll situé à 1 km.

La table des planches illustrant ce chapitre se trouve aux pages 196 et 245.

L'EXCURSION à Taüll, au cœur d'une vallée pyrénéenne particulièrement souriante, est un enchantement. La route est carrossable jusqu'à Boï. A partir de là, un chemin médiocre monte jusqu'au village. Avant de l'atteindre on gagne Sant Climent, la merveille – puis on rejoint Taüll et Santa Maria, malheureusement transformée par le temps.

Pour en assurer le salut, fresques et mobilier de ces églises ont été portés au Musée de Montjuich à Barcelone. Nous avons tenté de rassembler ici ces richesses pour reconstituer en quelque manière le trésor incomparable de Taüll, véritable somme et résumé de l'art roman.

SIGNIFICATION DE TAÜLL

L'unité de style, qui semble obtenue dans un édifice par la fusion de méthodes de construction identiques et l'usage d'éléments communs, serait un mauvais critère dans l'appréciation du roman. Celui-ci, en effet, se présente souvent comme un jaillissement collectif. Aussi, en s'offusquant à son aspect, refuserait-on du même coup toute floraison d'une école déterminée autour d'artistes mieux doués, qui auraient réalisé des créations personnelles, disséminées en des régions fort éloignées les unes des autres par suite de circonstances historiques imprévues. Les échanges humains au travers de la vaste contrée qui s'étend des Apennins aux Pyrénées, le long de la Méditerranée, suivant les sentiers qui s'ouvraient dans un pays en construction constante – tel que l'était alors celui des comtés catalans –, suscitèrent un énorme afflux qui déversa à profusion les courants nouveaux importés par les Lombards; peintres et sculpteurs, constructeurs et ouvriers se mirent à l'œuvre au service des évêques, abbés et seigneurs. Ils étaient guidés par des chefs et des maîtres au grand savoir, capables d'adapter leur technique à ce qu'on exigeait d'eux, sachant même au besoin sortir de leurs formules lorsqu'ils possédaient une personnalité authentique. Les églises de Taüll sont un parfait exemple de ce phénomène, situées qu'elles sont dans des régions où l'importation d'un modèle de construction entraîna des répercussions profondes, où le passage de maîtres décorateurs, possédant un art défini, se fit sentir, où la présence de tailleurs de pierre particulièrement habiles laissèrent, sur leur rapide passage, un ensemble artistique d'une grande importance, aujourd'hui encore, même s'il a ressenti partiellement l'injure du temps.

A un siècle de distance de l'impulsion donnée par le grand courant lombard aux formes strictes, à la discipline austère, un tel exemple se présente comme un terme où l'art lombard se retrouve encore, mais exprimé toutefois dans un langage plus lyrique, tandis que l'ensemble se fond déjà dans un style de plus en plus international.

HISTOIRE

HISTOIRE DES ÉGLISES ROMANES DE TAÜLL

Les églises de Taüll émergent dans la profondeur de la vallée de Boï, une des régions élevées des Pyrénées les plus pittoresques et les plus agréables, ouverte entre les montagnes qui s'étendent vers le Sud, entre les lits parallèles des fleuves Noguera Ribagorzana et Noguera Pallaresa. L'épine dorsale de la chaîne de montagnes qui les sépare crée la limite naturelle entre Ribagorza et Pallars, et bien que la vallée s'ouvre sur la première de ces régions, en réalité elle appartient à la seconde, située dans l'actuelle province de Lérida.

Cette partie du territoire pyrénéen fut submergée par la vague de soumission aux sarrasins, bien qu'elle ne connût pas, à proprement parler, les invasions de hordes guerrières. Elle devint seulement leur tributaire et par conséquent la vie rurale de culture et d'élevage se poursuivit normalement sans que rien fût changé dans les conditions qui avaient contribué à y fixer la permanence séculaire d'une population distribuée en petits centres, correspondant aux anciennes villas de l'époque romaine.

Presque un siècle plus tard, avant 806, cette région fut libérée de la domination sarrasine et du joug du tribut par l'initiative du comte de Toulouse. Quelque temps après, lorsque les comtés de Ribagorza et de Pallars furent organisés, la vallée fut incluse dans ce dernier et rattachée ecclésiastiquement au diocèse d'Urgell.

Vers 911, la formation d'un évêché englobant les deux comtés créa de sérieux conflits avec l'église d'Urgell dont les droits étaient ainsi méconnus. Enfin, en 949, une fois obtenue la séparation des comtés, le nouvel évêché se réduisit au comté de Ribagorza et le comté de Pallars fut à nouveau placé sous l'autorité de l'évêché d'Urgell. Les vicissitudes qui, après 1006, réunirent encore une fois les comtés occasionnèrent de nouveaux conflits d'ordre juridique, qui furent tranchés en 1140 par un accord selon lequel la vallée de Boï restai sous l'autorité de l'évêché d'Urgell, bien que plus tard elle fût incorporée à nouveau à celu de Roda-Barbastro.

En définitive, la déficience de l'organisation ecclésiastique, due à tous ces changements de juridiction, la sobriété de la vie du pays e les rares secours économiques, n'avaient p amener ni progrès ni amélioration. Ceux-c apparurent seulement, et presque pour l première fois dans l'histoire des vallées, a partir du début du XIIe siècle.

La vallée de Boï fut alors énormément favo risée, comme les autres vallées de la région par la part que le roi d'Aragon, Alphonse l Batailleur, prit dans la reconquête, en étendan ses domaines à travers les rives de l'Èbre, entr 1118 et 1120, et en s'appropriant les importante et riches villes de Saragosse, Tudela, Daroca e Calatayud. La participation effective à ce campagnes guerrières des seigneurs du comt de Pallars avec leurs hommes d'armes, attir un afflux de richesse qui ne tarda pas à s faire sentir. Les villages de Taüll et Boï retom bèrent sous la juridiction du seigneur d'Eril famille devenue très puissante à partir du milie du XIe siècle et dont les chefs, au service de comtes de Pallars, se distinguèrent par leur faits d'armes et réussirent à posséder de l sorte de solides positions qu'ils agrandirent d plus en plus et qui leur permirent, durant l xiie siècle, d'établir des liens de famille avec la maison comtale.

Ce fut ce moment d'apogée qui permit d'entreprendre le renouvellement des vieilles églises rustiques de la vallée et de les remplacer par d'autres constructions qui furent richement décorées, pourvues de statues et de mobilier liturgique, grâce à des équipes de constructeurs et de manœuvres, de peintres et de tailleurs de pierre. On y trouve les matériaux d'un chapitre indispensable à l'histoire de l'art roman. Une inscription peinte sur une des colonnes de l'église Sant Climent de Taüll rappelle la date de la consécration, le 10 décembre 1123. Le lendemain eut lieu la consécration de l'église Santa Maria. Les deux cérémonies furent effectuées par l'évêque de Barbastro, le célèbre saint Raymond, ancien prieur de Saint-Sernin de Toulouse, qui dut soutenir tant de vives querelles avec l'église de Huesca. On peut voir aussi bien dans les travaux de Sant Climent que dans ceux de Santa Maria une initiative due à ce prélat de grand caractère, ce qui explique l'intervention d'artistes choisis, appelés également à rénover les églises des paroisses environnantes. La création de Sant Climent était certainement destinée à l'implantation d'une communauté canoniale, suivant les normes de la réforme en vigueur à cette époque.

Une fois passé le moment de leur création et de leur rayonnement dans la région, ces églises entrèrent dans l'immutabilité calme et sereine de la montagne qui a été garante de leur conservation jusqu'à nos jours.

VISITE

DES ŒUVRES A TAÜLL ET AU MUSÉE DE BARCELONE

Le paysage pyrénéen que l'on découvre à l'entrée de la vallée, dans le vaste panorama de la haute montagne (pl. 66), s'harmonise à merveille avec les clochers typiques qui s'échelonnent à l'horizon comme des mâts de pierre plantés dans les hameaux groupés à leurs pieds. Tant de générations ont suivi ce même sentier, témoin immuable de la lutte pour la vie par la fixation de la terre ! A cette permanence farouche et tenace répond l'affirmation perpétuelle des églises qui veillent et assurent la surveillance spirituelle de ces lieux.

Les deux églises de Taüll, de même que celle de Boï, sont les témoins les plus fameux et les plus parfaits de cette continuité impressionnante.

181

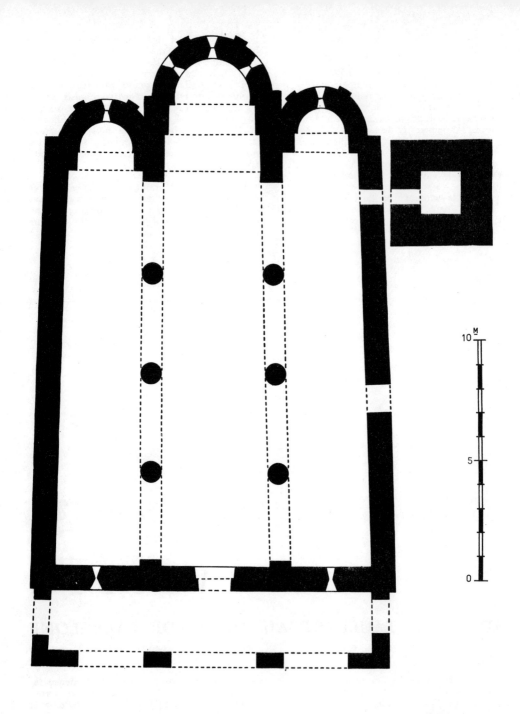

10 M

5

0

St Climent

TAULL

Elle fut consacrée le 10 décembre 1123 et correspond au type basilical parfait, avec ses trois nefs à toiture de bois, séparées par des colonnes et terminées par trois absides. Ce type semble anachronique à une époque où l'usage de la voûte était normal; il est la survivance attardée d'un modèle architectural alors dépassé si on le compare avec le reste de l'édifice. On dirait qu'il est le résultat d'un compromis : on serait parti de la donnée traditionnelle régionale de la maison consacrée à Dieu, donnée intangible sans doute, vu l'immobilité rare des usages dans la montagne, et on aurait accepté malgré tout l'expression portée par le courant alors dominant, dont l'usage liturgique imposa d'ailleurs les principes. Le même phénomène se reproduit dans les églises des hautes vallées, sur l'un et l'autre des deux versants pyrénéens; les couvertures des voûtes ne s'incorporent pas toujours à l'ensemble avec la maîtrise voulue. Mais le souffle lombard qui anime ce modèle dans son évolution tardive, tout particulièrement dans les absides, le rapproche du type basilical qui se propageait à la même époque à travers les régions de Mantoue et de Vérone, comme l'a constaté M. J. Ainaud.

Les nefs convergent légèrement vers le chevet, divisées par des colonnes qui soutiennent les quatre arcades semi-circulaires. La structure rustique des murs en blocs non polis, l'absence absolue de fenêtres dans ceux-ci, le fait qu'il n'y ait pas d'autres ouvertures que la porte méridionale en arc en douelles, en plus d'une autre porte, postérieure, sur le mur occidental, et de celle qui communique avec le clocher, tout cela – la simplicité même – est aussi inexpressif qu'un hangar de montagne au toit d'ardoise à deux versants. Quelques-unes des colonnes cylindriques jaillissent directement du sol (pl. 68, 69). Les autres reposent sur une base lisse. Toutes sont formées non de blocs monolithes mais de petites pierres, et s'ornent dans leur partie supérieure d'un petit collier en dents d'engrenage, élément décoratif propre aux frises et aux archivoltes (pl. 70). Ces colonnes n'ont pas de chapiteaux et sont surmontées de simples tailloirs aux angles inférieurs arrondis qui leur permettent de s'emboîter dans la colonne et de donner naissance aux arcs. Sur ces derniers s'élève le mur, d'une hauteur suffisante pour recevoir les deux versants de la couverture. La méthode employée pour la construction de cette couverture est des plus primitives et des plus rustiques : les poutres superposées, tendues d'un mur à l'autre, forment l'armature centrale dans laquelle sont distribuées les poutres de soutien de la toiture, selon l'inclinaison des versants.

Le chevet triabsidal est d'une structure différente et plus soignée que celle des nefs. Il forme contraste avec celles-ci par ses voûtes, et bien qu'à première vue les murs paraissent identiques par la coupe et la taille des pierres, dans les éléments constituant les arcatures et les fenêtres du chevet prédomine un travail plus fignolé. A l'intérieur les absidioles lisses se développent derrière l'arc qui perfore le mur. L'abside centrale, par contre, est précédée d'un court espace, sorte de prolongation de la nef, plus basse que celle-ci et possédant sa toiture propre à deux versants. Les absidioles sont décorées à l'extérieur par des groupes de trois arcatures séparés par des demi-colonnes rustiques, alors que sur l'abside les groupes sont de quatre arcatures. Au-dessus s'étend une frise en dents d'engrenage comme les petits colliers des colonnes et des frises qui soulignent chaque étage du clocher (pl. 67). C'est le type lombard caractéristique. Certes il lui manque la spontanéité de ses meilleures œuvres et l'émouvant assemblage des pierres qui caractérise les époques antérieures, mais par contre un grand soin est apporté à la taille des arcs monolithes, de section en double saillie, qui apparaissent aussi dans les rares fenêtres à double ébrasement, situées les unes au fond de chaque abside, les autres au-dessus des absidioles, en plus des œils-de-bœuf circulaires placés dans l'abside centrale et au-dessus de celle-ci. Ce sont les uniques ouvertures destinées à l'éclairage, toutes concentrées au chevet afin que par elles la lumière soit projetée du sanctuaire vers l'intérieur du temple.

La tour carrée du clocher se dresse isolée, près de l'angle du mur du Midi et toute proche des absides. Elle est haute et svelte avec ses cinq étages, le socle de sa base et sa couverture en pyramide (pl. 65). Les quatre étages supérieurs émergent au-dessus du niveau de l'église. Sur toutes les faces se répète la structure de chaque étage dont le mur est encadré à chaque angle par un pilier et se termine à la partie supérieure par cinq arcatures qui, dans les trois derniers étages, sont délimitées par des frises en dents d'engrenage. La gradation d'ouvertures en arcs jumelés est brisée au troisième étage par des arcs triples, et, sur le socle, par une simple fenêtre. Les fines colonnettes sont surmontées d'un tailloir qui réunit les arcs. Par sa forme et par son expression ce clocher s'éloigne des tours lombardes caractéristiques du xIe siècle, plus massives et plus sévères, et se rapproche de ses contemporaines italiennes dont elle essaie d'imiter les incrustations de céramique et le coloris des cercles de pierre dans la frise supérieure, ainsi que l'application, sur les arcatures et les dents de scie, de la couleur ocre rouge qui s'harmonise avec la teinte de la terre.

183

Du revêtement polychrome qui décora tout l'intérieur de l'église – abside, murs, colonnes – il ne reste plus que les peintures de l'abside centrale et de l'une des absidioles, conservées au Musée d'Art de Barcelone.

La décoration de l'abside (pl. 78) est peut-être le sommet de l'art pictural roman tant s'y perçoit le souffle du meilleur artiste passant alors par la Catalogne; ce peintre sut se servir du formulaire byzantin tout en lui conférant une vigueur nouvelle, où éclate sa personnalité marquante. En outre, son instinct réaliste lui a permis de donner vie à ses figures tout en respectant le hiératisme grandiose de l'abstrait. L'hémisphère de l'abside, de 4 m. de diamètre, contient la vision du Pantocrator entouré du tétramorphe (pl. couleurs, p. 224). Les parties figuratives se détachent sur un fond divisé en trois bandes allant du bleu au gris de plomb en passant par l'ocre. A l'intérieur de l'ellipse irisée entourée de perles, apparaît le Créateur, assis sur une bande transversale décorée de feuillage. Ses pieds nus reposent sur une demi-sphère. La figure majestueuse est dressée sur un fond bleuté l'Alpha et l'Oméga, suspendus par trois fils, en guise de lampes; elle bénit de la main droite, d'un geste solennel, tandis que, de la gauche, elle soutient sur son genou le livre ouvert où l'on peut lire EGO SVM LVX MVNDI. Les plis réalistes de la tunique grise et du manteau bleuté dans lesquels s'enveloppe le Créateur, trahissent la vitalité de la figure qui se manifeste avec une vigueur extraordinaire dans les détails des pieds et des mains délicatement moulés, et surtout dans l'impressionnante stylisation de la tête, réalisée avec une arabesque aux lignes précises, rehaussée par des glacis qui s'estompent sur le blanc de l'auréole crucifère (pl. couleurs, p. 215). Quatre anges présentent les symboles des évangélistes; deux se trouvent représentés entièrement dans la partie supérieure, l'un faisant allusion à *Sanctvs Mathevs*, et l'autre portant dans ses mains voilées l'aigle de *Sanctvs Iohanes* (pl. couleurs, p. 221); tous deux ont un mouvement merveilleux: on dirait qu'ils refrènent leur vol impétueux autour de l'apparition. Les deux autres ne sont représentés qu'à mi-corps, dans la zone inférieure, à l'intérieur de cercles. A leurs côtés dans des cercles identiques sont placés le lion de *Sanctvs Marchvs Ev* (pl. couleurs, p. 217 et 218) et le taureau de *Sanctvs Lvchas Ev* (pl. couleurs p. 219 et 220); ces cercles évoquent sans doute le tourbillon des roues qui inaugure l'apparition. Deux anges *Séraphim* complètent cette scène, un à chaque extrémité. Leurs corps sont enveloppés de six ailes recouvertes d'yeux et leurs bras ont une attitude acclamative (pl. couleurs, p. 221). La vivacité des figures dans l'enceinte sublime où elles se produisent,

contraste avec la zone inférieure où domin[e] le rouge chaud sur un fond bleu. Un portiqu[e] fantasque de sept arcades surbaissées tracé[es] à vue sur des chapiteaux de feuillage, encadr[e] les figures de la Vierge et de cinq Apôtres conservées seulement dans leur moitié supé[-] rieure, de chaque côté de la fenêtre central[e]. La forme rigide des silhouettes asservit davan[-] tage le modelé, et les exagérations de certain[s] détails éloignent les figures de l'intensité s[i] bien réussie dans la zone supérieure. La Sain[te] Vierge *S. Maria* avec une toque blanche su[r] un manteau bleu a une attitude de prière e[t] soulève sur sa main gauche, voilée, le pla[t] d'où jaillissent des flammes lumineuses (pl. cou[-] leurs, p. 214). Les apôtres *...omas, S. Bartolomee[,] S. Iachobe, S. Fil...,* portent le livre sur l[a] poitrine, avec les mains voilées, et seul *S. Ioane[s]* le soulève de sa main droite en un geste d'ac[-] clamation.

Sur la clé de l'arc triomphal est représent[é] l'Agneau à tête nimbée de l'auréole crucifèr[e] et pourvue de sept yeux selon la vision apoca[-] lyptique (pl. couleurs, p. 222). Dans la clé d[e] l'autre arc, la main divine bénissante, d'un[e] majestueuse grandeur, émerge du cercle qu[i] l'entoure (pl. couleurs, p. 223). Du reste de l[a] décoration de ces arcs, sous une zone compor[-] tant des indices de figures d'anges, ne sont con[-] servées que la figure assise du patriarche Jaco[b] et celle de Lazare, étendu devant la porte d[u] mauvais riche et accompagné d'un chien qu[i] lèche ses plaies (pl. 80 et pl. couleurs, p. 213)[.]

La vigoureuse impétuosité atteinte par l[e] maître de cette œuvre – à qui l'on attribu[e] également la décoration conservée dans un[e] abside de l'ancienne église de Rodes, siège d[e] l'évêque Raymond qui consacra Taüll – trahi[t] le génie d'un artiste très bien formé qui[,] employant des couleurs pures et dominan[t] profondément son art, sut vitaliser les for[-] mules iconographiques en usage, sans sorti[r] toutefois des traits conventionnels, mais e[n] leur imprimant un souffle incomparable qu[i] le mène à fuir la symétrie et à préciser ains[i] avec plus de force le contenu humain de[s] figurations. L'effet est obtenu par le chroma[-] tisme et l'expression intense, capable d'accor[-] der la vision d'un monde transcendant ave[c] une traduction humanisée et sensible.

Ce peintre est très différent de celui qu[i] continua son œuvre dans le reste de l'églis[e] et que l'on ne peut juger d'ailleurs que d'aprè[s] la partie précédant l'une des absidioles. L[e] sujet, constitué par six anges sur un fond divis[é] en zones de différentes couleurs, est bien inf[é-] rieur de par sa qualité artistique et de par so[n] coloris. Les caractéristiques du style de c[et] artiste apparaissent plus nettement dans l[a] décoration de l'église Santa Maria où se mani[-] feste la hardiesse de son caractère. Des pein[-] tures qui revêtirent les murs intérieurs il n[e] reste que le remarquable fragment provenan[t] de l'une des colonnes où est inscrite la dat[e]

184

de la consécration de l'église à la manière lapidaire.

ANNO AB INCARNACIONE
DOMINI MCXXIII IIII IDUS DECEMBRIS
VENIT RAYMUNDUS EPISCOPUS BARBASTRE-
NSIS ET CONSAGRAVIT HANC ECCLESIAM IN
HONORE
SANCTI CLEMENTIS MARTIRIS ET PONENS
RELIQUIAS
IN ALTARE SANCTI CORNELII EPISCOPI ET
MARTIRIS

L'église Santa Maria

Au milieu du hameau où elle sert d'église paroissiale se dresse Santa Maria, œuvre similaire à celle de Sant Climent. Située à peu de distance de cette dernière, elle fut érigée en même temps et consacrée le lendemain 11 décembre 1123; le plan est identique sans que toutefois les mêmes éléments soient reproduits en chacune de ces églises. Si la basilique Sant Climent fut conservée intégralement, Santa Maria, sans cesse utilisée pour les fonctions paroissiales, fut victime d'adaptations à différentes époques et souffrit de ses utilisations qui, au cours des générations, modifièrent sa structure. Pendant la période baroque, la surface basilicale, divisée par des colonnes qui soutenaient les arcs de la toiture, fut réduite à une seule nef centrale cependant que les collatéraux étaient transformés en chapelles; des murs de division, en guise de contreforts intérieurs, engloutirent les colonnes; les espaces résultants furent couverts de voûtes suivant la même section que celles des arcs latéraux, et l'on remplaça l'ancienne charpente par une couverture voûtée qui, dans le transept, fut interrompue par une coupole (pl. 72). L'absidiole du côté de l'épître fut remplacée par une pièce destinée à tenir lieu de sacristie. Le corps du clocher est une réplique de celui de Sant Climent, mais au lieu d'être isolé, il s'enchâsse dans la nef de l'épître. Sa structure en est identique par la forme et par les détails décoratifs composés d'arcatures et de frises en dents d'engrenage qui soulignent les quatre étages. En chacun d'eux se trouvent des fenêtres jumelées avec des arcs portés par de fines colonnes (pl. 71).

La décoration de l'abside

Les transformations intérieures sauvegardèrent une grande partie de la décoration murale qui, à l'origine, revêtait l'intérieur entier du temple depuis les absides jusqu'aux colonnes. Ce qui put être sauvé fut détaché et transporté au Musée d'Art de Barcelone, où l'on peut voir de grands ensembles peints qui témoignent de la présence de deux peintres différents, contemporains de la décoration de Sant Climent, vers 1123, lorsque les deux églises furent consacrées. L'un est le décorateur de l'abside centrale et de l'arc qui la précède; c'est un maître bien différent du peintre de l'abside de Sant Climent, mais appartenant cependant à son groupe. L'autre artiste décora le reste de l'église, comme il le fit aussi à Sant Climent.

La grande abside d'un diamètre de 3 m. 80, a un cadre de composition formé par la partie concave, la partie semi-circulaire centrale, de chaque côté de la fenêtre, et la partie inférieure (pl. 79). Dans la partie concave supérieure est représentée l'Épiphanie (pl. couleurs, p. 225); des bandes horizontales allant du noir sombre à l'ocre, au vert et au bleu, composent le fond. La figure dominante est celle de la Sainte Vierge, assise sur un trône orné de pierreries, pourvu d'un coussin, et les pieds sur un escabeau. L'auréole en forme d'amande composée d'une bande rouge et d'une bande ocre séparées par une troisième blanche, sert de fond plutôt qu'elle n'encadre la figure de la Vierge. Celle-ci est vêtue d'un voile et d'une chasuble bleutée, décorée d'une bande à hauteur de la poitrine, sous laquelle une tunique rosée retombe en plis symétriques et s'élargit vers le bas pour finir en une riche broderie au-dessus des chaussures. Le hiératisme statique de cette figure forme le trône maternel de Jésus, assis dans son giron, qu'elle semble protéger de ses mains. Ces dernières, en sortant symétriquement du manteau soulevé, laissent retomber un pan central de celui-ci dont le dessin forme une manière de contre-auréole. De la sorte la figure de son Fils en ressort mieux. L'Enfant Jésus est vêtu d'une tunique et d'un manteau rouge à belle broderie et bénit de la main droite tandis que de la main gauche il serre un rouleau. Sa tête est entourée d'une auréole rouge à croix blanche qui contraste avec l'auréole de la Vierge aux tons ocres-dorés (pl. couleurs, p. 227). Une étoile à huit pointes, *Stella,* est répétée de chaque côté de sa figure au-dessus des têtes des Rois Mages. *Melhior,* le plus vieux, est à droite et les deux autres à gauche; *Gaspas* est représenté jeune et *Baldasar* à l'âge mûr (pl. couleurs, p. 216). Ainsi l'apparition de la divinité est-elle associée à l'humanité, représentée dans les trois âges de sa vie. Les trois Mages sont vêtus d'une courte tunique, d'une chlamyde et de la couronne royale. Ils portent leurs offrandes sur un plat doré que le plus âgé présente dans des mains voilées, en une attitude de prosternation. Une large bande ornée d'une grecque passe derrière le trône de la Vierge et ferme la composition.

La zone intermédiaire contient un portique sur un fond de bandes parallèles colorées où la fantaisie du peintre a fait figurer les mêmes éléments floraux sur les bases et sur les chapitaux des colonnes. Le fût de ces dernières porte une décoration torsadée. Les niches destinées aux apôtres sont mal conservées aux extrémités. De chaque côté de la fenêtre se trouvent les figures de *Petrus* montrant de la main droite la clef qu'il tient dans la gauche, voilée (pl. couleurs, p. 226); celle de *Paulus*, suivie de celle de *Iohannes*, indiquant d'une main le livre qu'il porte de l'autre. Tous sont vêtus de tuniques ornées de bandes brodées sur la poitrine et de manteaux avec liserés intérieurs. Il reste encore des vestiges d'autres apôtres avec des attitudes analogues. L'artiste a pris soin de souligner les traits des physionomies que le canon iconographique attribue aux visages de chacun d'eux, et de les faire détacher sur des auréoles circulaires tantôt rouges, tantôt ocres. Sur la zone inférieure s'étend une bande de médaillons liés par des rinceaux, à l'intérieur desquels apparaissent des figures d'animaux : aigle, cigogne, lion, dragon, poisson. Au-dessous pend une imitation de tissu drapé dont les plis tombaient sans doute jusqu'au sol.

Le double arc échelonné qui précède l'abside a permis à l'artiste de développer entre les décors de l'encadrement une composition qui, dans le cercle du milieu, représente l'Agnus Dei à nimbe crucifère se détachant sur un fond de nuages stylisés parmi les étoiles; d'un côté se trouve le juste Abel, habillé en berger, offrant les prémices de son troupeau; il devait être accompagné, de l'autre côté, de la figure de Caïn. Au-dessous de la grecque qui déborde de l'abside, on retrouve quelques restes de prolongation de la zone intermédiaire où se continuaient sans doute les figures des apôtres. Sur les zones inférieures devaient se poursuivre la bande de médaillons et la draperie de la bordure que l'on retrouve également sur le massif de l'autel, on peut donc en conclure que la décoration était terminée lors de la consécration de l'église.

Les mêmes zones s'étendent le long des murs du chœur de chaque côté de l'abside; on conserve le pan qui correspondait au côté de l'évangile. Sa partie supérieure est presque entière, avec deux symboles des évangélistes représentés par des anges, l'un à tête de taureau auréolée faisant allusion à saint Luc, l'autre à tête d'aigle caractéristique de saint Jean; ils portent le livre des évangiles et sont séparés par un séraphin couvert de six ailes. Une des extrémités du groupe est occupée par la figure de l'archange Gabriel. A cette composition devait faire pendant, de l'autre côté de l'abside, la figure de saint Michel suivie du groupe des deux autres symboles, saint Matthieu et saint Marc, séparés eux aussi par un séraphin. Les rares vestiges que l'on conserve de la zone inférieure, laissent supposer la présence de quatre figures de bienheureux

sur la bande de médaillons d'où pend la draperie.

Malgré l'emploi de couleurs vives qui chantent avec vivacité dans cet ensemble, l'artiste qui l'exécuta n'atteint pas la valeur de son compagnon, auteur de la décoration de l'abside de Sant Climent; il ne sort pas du conventionnel, reste prisonnier de la stylisation et de la formule, bien qu'il possède une grande maîtrise dont témoignent l'intensité et la noblesse sereine de ses figures. Cet artiste quitta Taüll son œuvre faite et on le retrouve à Sant Baudelio de Berlanga et à Maderuelo villages du royaume de Castille, mais qui appartenaient alors au roi Alphonse le Batailleur

La décoration des murs

L'intérieur des murs de Santa Maria fut décoré par un peintre différent de celui du chevet, peintre qui avait œuvré également à Sant Climent où l'on peut à peine apprécier son talent dans les restes de décoration d'une absidiole; par contre, des peintures fragmentaires provenant des murs de Santa Maria et conservées au Musée d'Art de Barcelone font mieux connaître les caractéristiques du style de ce maître. Le plus grand panneau est celui du mur de l'épître. Il s'étendait de chaque côté de la porte d'accès et se trouve divisé en deux parties par des bandes aux motifs géométriques, terminées dans la partie inférieure par une draperie. La partie supérieure est très mutilée et ne permet pas d'identifier les scènes qui se succèdent sur un fond divisé en bandes ocrées et rouges, fond dont on peut penser qu'il dut constituer le fond commun de toute la décoration intérieure. D'après Pijoan les thèmes auraient trait à des scènes de la légende du pape saint Clément. Les deux personnages debout représenteraient l'ordination du saint par saint Pierre; la scène du personnage dans une embarcation, accompagné d'un ange, symboliserait les voyages de saint Clément à la recherche de sa famille; on verrait aussi l'apparition de l'Agneau mystérieux montrant la source d'eau vive de son pied, enfin l'investiture du saint comme évêque de Rome. Vient ensuite un autre thème avec des figures d'anges armés de lances et de boucliers. Sur la partie inférieure on reconnaît le thème de l'Épiphanie; la scène des Rois Mages devant Hérode et l'adoration. Les personnages royaux sont encadrés dans un portique. A l'intérieur de la première arcade Hérode assis converse avec l'un des Mages tandis que les deux autres se tournent vers la Vierge et lui présentent leur offrande. On remarquera la liberté avec laquelle sont interprétés les vêtements – mi-manteaux mi-chlamydes sur de courtes tuniques – comme aussi la fait que le plat des offrandes est tenu dans une main voilée. La Vierge est enclose dans une auréole à double section elliptique. Elle est assise sur un trône, tenant, sur son genou gauche, l'Enfant Jésus tourné vers les Rois Mages qu'il bénit, tandis que de sa gauche il serre un rouleau. L'auréole est masquée par un ange qui semble porter dans sa main une croix ou un lis (pl. couleurs, p. 11). Viennent ensuite deux personnages placés sous un portique, et représentant le moment où Zacharie recouvra l'usage de la parole alors qu'il se préparait à indiquer par écrit le nom de Jean comme devant être imposé à son fils (pl. 82). L'histoire de Zacharie se continue de l'autre côté de la porte par l'épisode de l'encensement de l'autel alors qu'il lui fut donné la promesse d'une descendance.

Le fragment décoratif correspondant au fond de la nef de l'épître, forme un triangle délimité par la pente de la toiture; on y voit un chien-loup poursuivant une gazelle au milieu d'oiseaux et d'étoiles. Sur la zone inférieure se développe le combat de David et Goliath. La scène montre le géant en train de tomber, frappé par la pierre, et David lui coupant la tête en présence d'un corbeau qui semble vouloir déjà s'abattre sur le corps (pl. 81 et pl. couleurs, p. 228).

Sur le mur du fond se développe, en deux parties, la scène du Jugement dernier. L'ouverture d'une fenêtre au milieu de ce mur a fait disparaître la figure du Juge Suprême à l'intérieur d'une mandorle à la droite de laquelle on peut voir un personnage qui pourrait signifier le Christ portant la croix sur l'épaule, suivi de saint Jean-Baptiste qui le désigne comme l'Agneau de Dieu, et accompagné d'un ange. De l'autre côté est représentée la figure d'une sainte femme entre deux anges qui portent ouvert le livre de la Vie. Dans la partie inférieure l'archange *Sanctus Michael*, accompagné d'un élu, pèse sur une balance les âmes et leurs mérites. La scène est complétée, sur l'arc inférieur, par deux figures nues (pl. 83), l'une se dirigeant vers la balance pour être jugée, l'autre volant en sens contraire une fois révélée son iniquité. Vraisemblablement deux autres figures représentaient la résurrection joyeuse des justes, et deux autres la désolation des pécheurs. Sur le tympan de l'arc inférieur se trouve un personnage assis tenant une lampe dans chaque main. On conserve encore de grands fragments des peintures du mur de la nef de l'épître, où sont représentés les tortures des damnés. Ces scènes permettent de juger de la fantastique imagination de l'artiste qui déborde véritablement dans d'effrayantes compositions : une grande variété de monstres entrelacés, aux têtes de serpent ou de dragon, pourvus de mains et d'horribles bouches grimaçantes sur les ventres, tenaillent et dévorent les damnés.

Le thème des paons devant un calice se trouvait tout en haut, sous la pente de la couverture, au-dessus de l'absidiole de l'évangile. D'après les fragments conservés on pense que les colonnes de la basilique étaient décorées de bandes torsadées de diverses couleurs comme celles des portiques figurés sur l'abside. Par contre, l'intrados des formerets était décoré par des représentations de prophètes, *Isaïe*, *Gérémia* et sans doute Daniel et Ézéchiel tenant des rouleaux et des livres dans leurs mains voilées par un manteau, et séparés par l'Agnus Dei portant la croix, qui se couvre à l'intérieur d'un cercle, juste sur la clé de l'arc.

L'audace de l'artiste qui entreprit une décoration tellement osée et par son étendue et par ses sujets, surprend encore davantage lorsque l'on considère qu'il dut se servir presque uniquement de couleurs élémentaires, avec prédominance des ocres et des rouges qui constituent la base de son riche coloris. J. Gudiol suppose qu'il devait s'agir d'un homme du pays, qui, enhardi au contact des deux maîtres qui passèrent à Taüll, osa décorer ce qu'ils avaient laissé inachevé. Cette supposition s'appuie sur le manque flagrant de pratique dans l'exécution des parties purement ornementales où en général excelle celui qui possède une technique, et aussi sur la copie inversée des épigraphes comme sur l'exécution de vêtements dont il méconnaît le caractère. La puérilité primitive qui anime ses sujets n'empêche pas que, guidé par son audace et son ardeur décorative lorsqu'il affronte le lyrisme narratif des compositions, cet artiste atteigne à une émotion intense, fruit de sa puissante imagination.

Les sculpteurs

À la suite du courant artistique né aussitôt après les constructions de Taüll et leurs décorations, il ne manqua pas de sculpteurs et de tailleurs de pierre qui exécutèrent des statues et du mobilier liturgique pour les églises de la vallée de Boï. Les groupes de Descentes de croix sont admirables, tels ceux d'Erill et de Durro auxquels appartenaient les statues qui se trouvent au Musée d'Art de Barcelone (pl. 76). La Vierge qui se trouve actuellement au Musée Foog aux États-Unis provient de Santa Maria de Taüll. Sur ces statues, taillées de façon impressionnante, flotte, malgré la rigidité des formes, un sentiment réaliste que les successeurs de ces artistes ne dépasseront pas. Vers la fin du siècle ces derniers sculptèrent sur l'autel provenant de la même église, les figures des Apôtres autour de celles du Pantocrator (pl. 74). Le banc provenant de Sant Climent et conservé au Musée d'Art de Barcelone, est un exemplaire unique en ce domaine (pl. 73). Construit en bois de pin, il comprend

187

trois niches, divisées par des colonnes. Ajouré et sculpté avec profusion, il utilise encore des arcs en fer-à-cheval combinés avec des disques concaves propres aux frises des antependiums en bois qui imitaient les travaux d'orfèvrerie (pl. 75). Cette œuvre fut sans doute polychromée puisque sur ces reliefs on trouve encore quelques traces de peinture rouge.

DIMENSIONS DE TAÜLL

Longueur totale dans œuvre : 18 m 10.
Largeur totale à l'intérieur de l'abside : 12 m 40.
Largeur totale à l'intérieur, au début de la nef :
  13 m 80.
Largeur de la nef centrale : 4 m 60.
Largeur de la nef de droite : 3 m 80.
Largeur de la nef de gauche : 3 m 80.
Ouverture de l'abside centrale : 3 m 60.
Profondeur de l'abside centrale : 1 m 90.
Ouverture des absidioles : 2 m 25.
Profondeur des absidioles : 1 m 10.
Hauteur totale extérieure jusqu'au faîte du toit :
  10 m.
Hauteur du sommet des arcs divisant la nef : 4 m 60.
Espace entre les colonnes : 3 m 25.

RIPOLL

ACCÈS

Sur la route n⁰ 152, de Barcelone à Puigcerda.
Le monastère se trouve au milieu de la ville.

La table des planches illustrant ce chapitre se trouve à la page 245.

A L'INVERSE *des églises présentées jusqu'ici, Ripoll est sur la route qui mène de Puigcerda à Vich et Barcelone. Son accès est donc facile.*

De cet immense monastère qui exerça une telle influence sur son temps, ne restent debout que l'église et le cloître, défigurés en partie par une restauration matérielle.

Mais l'énorme portail est encore là, pièce unique, capitale, qui formera la conclusion de ce volume. En dépit de la maladie de la pierre qui l'attaque et le ronge, il reste l'un des témoignages les plus authentiques, l'une des gloires les plus certaines de la Catalogne romane.

SYMBOLISME DE RIPOLL

Les hautes vallées pyrénéennes abritèrent une pléiade de petits monastères qui se développèrent sous la protection des moyens naturels de défense que leur offrait la montagne. Quelques-uns étaient des survivances de communautés rescapées de l'invasion musulmane, d'autres avaient été créés au début de la reconquête afin de consolider le repeuplement et furent, pour la plupart, voués à une vie éphémère, vite étouffée par le développement voisin des monastères plus favorisés qui se développaient sous la protection des classes dominantes. Ripoll jouit sur eux tous d'une prépondérance extraordinaire : non seulement cette fondation fut établie au moment où la plupart des comtés de la Marche hispanique passèrent au pouvoir de Guifred le Velu, et fut activement appuyée par les descendants de ce dernier, mais elle reçut sans cesse de nouvelles et riches dotations qui lui permirent d'enraciner et de développer un foyer monastique parfaitement cohérent. Suivant la règle de saint Benoît, Ripoll défendit la réforme propagée par Cluny, sous la direction d'abbés de grand prestige qui assumaient en même temps des charges d'évêques, tels Arnulf, au siège de Gérone, et Oliba, à celui de Vich. Son importance fut décisive dans ce pays alors en train de découvrir sa raison d'être, car autant qu'un symbole de vie religieuse dès le début du repeuplement du territoire central, Ripoll constitua un élément de prestige qui ne tarda pas à rayonner, à la faveur de ses nombreuses relations culturelles avec les monastères les plus renommés de l'époque. En effet un centre important d'information se développa dans son sein, autour d'une importante bibliothèque qui alimentait un scriptorium où l'on réalisa des copies de manuscrits dispersés et presque oubliés, et grâce auquel furent diffusés des textes réunis par un patient labeur.

Il faut de toute nécessité tenir compte du rôle de Ripoll si l'on veut comprendre l'afflux des divers courants culturels qui, avant l'an mil, concoururent à l'épanouissement enropéen de l'art roman. L'autorité que l'abbaye acquit sur ce terrain bien au delà des frontières, accrut encore son prestige dans le pays.

Pendant la période comtale, durant les deux siècles et demi que la reconquête mit à parvenir jusqu'aux frontières du royaume d'Aragon, Ripoll exerça une impulsion incessante qui encouragea les efforts d'un peuple à la recherche de lui-même et traduisit la vitalité religieuse de ce dernier. On trouve celle-ci présente dans ses meilleures activités; c'est elle qui maintient vivante en lui la flamme du savoir, qui est le moteur de son histoire, et glorifie ses gestes. Elle parvient à l'apogée de son art dans le magnifique portail qui forme l'une des œuvres les plus importantes qu'ait élaborées la sculpture romane au seuil de l'un de ses plus étranges monuments. Les plus belles pages de l'histoire du monastère sont d'une lumière éblouissante, alors qu'alentour abondent encore les ombres d'un monde nouveau en gestation. Ces ombres marquent d'ailleurs Ripoll : ce sont les reconstructions successives de la basilique sous chacune des générations qui aidèrent à son épanouissement, et les agrandissements et perfectionnements apportés par chaque époque, l'une après l'autre. Ces pages d'histoire viennent se fermer avec les tombeaux des derniers comtes de Barcelone; elles résument une ère de gloire dont le symbole demeure l'épée du croisé qui, au retour des combats, était donnée comme offrande votive à la basilique même d'où était partie cette entreprise.

La puissante abbaye du Moyen Age, bien que perdue dans les replis de la montagne après que les rois d'Aragon eurent concentré leur intérêt sur les monastères cisterciens de Poblet et de Santas Creus, ne perdit cependant pas sa valeur de symbole, grâce à l'importance de son rôle historique dont les évolutions ultérieures ne purent faire disparaître l'empreinte ineffaçable.

Lorsque la révolution démolit les monuments après les avoir pillés, que la destruction amoncela ruines sur ruines, la signification permanente de Ripoll fut encore sauvée et s'imposa, tant était vigoureux son contenu. Ainsi la reconstruction put surgir des décombres avec le même esprit qui avait présidé aux origines de l'abbaye. Par là se perpétua du moins l'écho grandiose de son expression monumentale : la basilique veillée par les deux tours qui encadrent son portail, avec la quiétude de son cloître, éléments qui suffisent à évoquer les aspects les plus caractéristiques du passé prestigieux de ce fameux monastère.

HISTOIRE

HISTOIRE DE L'ABBAYE SANTA MARIA DE RIPOLL

La vallée de Ripoll suit le cours du Ter jusqu'au confluent de celui-ci et du Freser; elle se trouve située sur le versant septentrional du territoire d'Ausona dont le repeuplement commença en 879 sous l'instigation du comte Guifred le Velu. Ce lieu agréable, situé à l'abri des montagnes, ne tarda pas à être adjugé par le comte à l'abbé Daguino qui y réunit une communauté monastique placée sous la protection du fondateur. Dix ans plus tard, en 888, Gomaro, l'évêque qui restaura le siège d'Ausona, consacra solennellement la première basilique Santa Maria élevée grâce aux dons de Guifred et de son épouse Guinidilde. Ceux-ci la dotèrent en effet de vastes possessions et ajoutèrent à leur offrande la donation de leur propre fils Rodolphe.

Le monastère ne pouvait naître sous de meilleurs auspices; il prenait un aspect votif au début de la transformation d'un pays qui, peu d'années auparavant, avait passé sous la propriété directe du comte, alors que celui-ci élargissait les possessions de la reconquête et en formait la base d'une unité qui devait se consolider avec le temps. Le monastère grandit avec une telle rapidité que l'église devint bientôt insuffisante et dut être remplacée par une autre, plus vaste, dont la construction fut commencée par un fils de Guifred, Miró, comte de Cerdagne et de Besalú, et terminée par son frère Sunyer, comte de Barcelone, pour être enfin consacrée en 935 par Jorge, évêque de Vich. Mais l'accroissement du monastère ne s'arrêta pas là, et le nombre des moines qui venaient se mettre sous sa protection continua d'augmenter rapidement. Sur l'initiative de l'abbé Arnulf, en même temps évêque de Gérone, on agrandit les constructions monastiques pour leur permettre d'abriter une communauté qui, par sa ferveur, attirait les dons des seigneurs, et au sein de laquelle régnait une ambiance profondément spirituelle et culturelle. Il devint nécessaire de rebâtir l'église monastique pour la troisième fois. Les comtes descendants des fondateurs, les frères Miró Bonfill, diacre puis évêque de Gérone, et Oliba Cabreta, comte de Cerdagne et de Besalú, purent voir se réaliser en sept ans cette troisième construction qui dépassa de beaucoup les édifices antérieurs, bâtis respectivement par leurs père et grand-père. C'était une grandiose basilique à cinq nefs avec cinq absides correspondant à chacune d'elles, couvertes d'une armature de bois, divisées par deux rangées de gros piliers dans la nef principale, et de piliers alternant avec des colonnes entre les collatéraux. La consécration solennelle eut lieu le 15 novembre 977, en présence des dignitaires du pays. Plusieurs évêques y assistaient qui consacrèrent les cinq autels dédiés à sainte Marie, au Saint Sauveur, à la Sainte Croix, à saint Michel et à saint Ponce.

Le solide prestige du monastère atteignit son point culminant à partir du mois d'août 1002, lorsqu'entra au noviciat le comte Oliba, seigneur du pays, qui abandonnait ses propriétés et son pouvoir temporel pour se donner tout à la joie de sa ferveur religieuse et à son amour des études. Un personnage d'un tel rang, doué d'extraordinaires qualités de dirigeant, ne pouvait passer longtemps inaperçu; six ans plus tard, à la mort de l'abbé Seniofred, il fut appelé à lui succéder et presque en même temps, se vit élire également abbé de Cuxà.

L'esprit rénovateur qui s'exerçait dans ce dernier monastère fut introduit à Ripoll par le nouvel abbé. Oliba ne tarda pas à devenir le patriarche du monachisme en son pays et son influence fut encore accrue par sa grandeur spirituelle, surtout à partir de 1017 lorsqu'il fut choisi pour diriger le diocèse de Vich, ce qu'il fit jusqu'à sa mort, survenue en 1046. Cet homme vraiment extraordinaire qui donna l'élan à toutes les énergies vitales du pays et laissa partout de profondes empreintes, compléta et perfectionna à Ripoll l'œuvre de ses prédécesseurs. Son esprit créateur l'incita à agrandir la basilique et à lui adjoindre, sur le devant, un corps d'édifice qui comportait les tours symétriques des clochers. Il fit démolir les absides pour construire, au-dessus d'une crypte, un transept spacieux, couvert d'une voûte et terminé par sept absides. Les travaux commencés en 1020 furent achevés vers le 15 janvier 1032, date de la consécration solennelle à laquelle assistaient tous les personnages importants de l'époque. Cette œuvre adoptait les nouvelles formes architecturales introduites par les bâtisseurs lombards et caractérisées par les saillies extérieures formant arcatures entre lésènes, et des arcs aveugles, seuls ornements de structures rigoureusement fonctionnelles. Les nouveaux autels furent revêtus d'antependiums d'orfèvrerie; l'autel central, dédié à la Sainte Vierge, dépassa les autres en magnificence; il était constitué d'un entablement de jade recouvert sur le devant d'un antependium en or décoré de pierreries et d'émaux, et latéralement d'un antependium en argent; le tout surmonté d'un baldaquin dont colonnes et couverture étaient revêtues de plaques d'argent ciselé.

La mort de l'insigne abbé fut suivie de troubles occasionnés par l'interposition d'abbés simoniaques, immédiatement après que le comte de Besalú se fut attribué des droits sur les régions du Ripollès, et les eut annexées à ses terres, aux dépens du comté d'Ausona. Le relâchement naissant fut arrêté par le pieux Bernard II, comte de Besalú, qui, en 1070, assujettit le monastère à l'abbaye Saint-Victor de Marseille. Les échanges de moines entre les monastères élargirent les horizons de Ripoll dans le domaine culturel et préparèrent un nouvel apogée, atteint par le monastère au cours de la première moitié du siècle suivant.

Ce n'est pas pur hasard si la seconde floraison coïncide avec l'annexion définitive des comtés de Besalú (en 1111) et de Cerdagne (en 1117) par le comté de Barcelone alors gouverné par Raimond Berenguer III le Grand et surtout par son fils Raimond Berenguer IV le Saint, dont les domaines s'étendaient de la Provence à la frontière définitivement fixée avec l'Aragon, qu'ils établirent après avoir conquis sur les Sarrasins de vastes territoires. Ces deux princes firent preuve de l'esprit même de leurs ancêtres, fondateurs du monastère, et demandèrent, alors que la période com-

tale prenait fin, à être enterrés à Ripoll pour bénéficier ainsi de la prière monastique qui n'avait cessé au monastère depuis les débuts de la Reconquête.

Pendant cette période de splendeur qui prit fin en 1169, lorsque l'abbaye se libéra de son assujettissement à Saint-Victor de Marseille, la basilique dut subir quelques modifications dans son architecture : à l'armature en bois de la couverture des cinq nefs, se substituèrent des voûtes assises sur les murs existants, et l'on érigea le magnifique portail qui constitue l'un des éléments les plus remarquables et les plus riches de sens de Ripoll.

Une fois achevée sa plus belle période, le monastère vécut sur son prestige acquis, et bien que la prépondérance de l'abbaye continuât de croître dans les seigneuries qui venaient s'établir sur ses vastes domaines, l'éclat de sa tradition culturelle faiblit peu à peu et ne le plaça plus au-dessus des autres monastères bénédictins. Les rares documents que l'on conserve témoignent seulement des rénovations constantes qui adaptèrent les antiques bâtiments monastiques aux besoins de chaque époque. Les dépendances primitives à l'intérieur de la large enceinte entourée de murailles, disparurent peu à peu pour faire place aux nouveaux cloîtres. La construction de ces derniers, que l'on peut admirer actuellement, fut commencée par l'abbé Raimond de Berga (1172-1206) dont la figure se trouve sculptée en relief dans la galerie contiguë à la basilique. Cette galerie comprend treize arcs semi-circulaires – ornés de moulures de feuilles –, à l'intersection desquels apparaît une tête humaine; les arcs reposent sur des tailloirs ciselés – avec thèmes inspirés des frises du portail – qui réunissent les doubles colonnes de support. Les chapiteaux sont richement ouvragés avec sujets habituels et fort divers : imitations de travaux d'ivoire et de tissus combinés avec feuillages, rubans stylisés, animaux, têtes et figures humaines, représentations d'anges. Cette galerie unique ne fut continuée qu'en 1380, avec la construction d'une galerie supérieure qui reproduisit la proportion de ses arcs et la distribution de ses éléments, réduits toutefois à une seule colonne. Par contre, les trois autres galeries du cloître inférieur ne furent terminées qu'en 1401, et s'inspirent de très près de l'unique galerie romane dont elles reproduisent certains éléments décoratifs mêlés à des chapiteaux à facture archaïsante, ce qui donne à l'ensemble un air d'ancienneté plus grande. La construction des trois autres galeries du cloître supérieur n'eut lieu qu'un siècle plus tard; elles suivirent le modèle de celle qui s'étend le long de la basilique.

195

(suite à la page 246)

TABLE DES PLANCHES

196

(suite à la page 245)

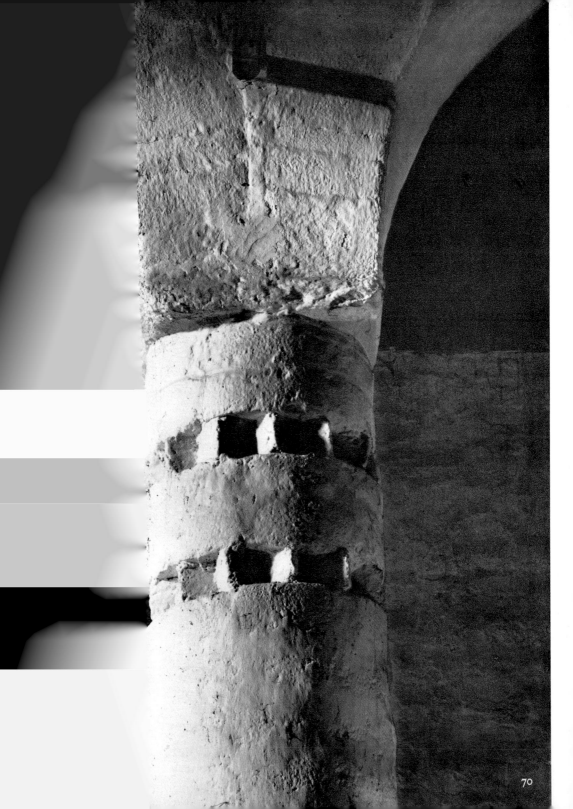

71

72

73

79

ᴀꝶᴄꝅꙄ

S·BARTOLOM

MELHIOR   GASPAS   BAL[...]

81

83

RIPOLL

87

89

92

93

94

95

TAÜLL (suite)

RIPOLL

Le tremblement de terre désastreux du 2 janvier 1428 causa l'effondrement de la voûte de la nef centrale du dôme et de la couverture de la grande abside; l'une des tours fut aussi gravement endommagée. On reconstruisit la couverture à la manière gothique, avec des voûtes distribuées en plusieurs travées sur des arcs d'ogives, reliés par de grandes clés sculptées. Cette modification inaugura celles qui se succédèrent à différentes époques et transformèrent l'aspect intérieur de l'église. Le chemin était ainsi ouvert aux innovations postérieures : introduction de rétables, multiplication d'autels et de chapelles, obturation des absides; c'est ainsi que la grande abside fut masquée par la construction d'une chapelle haute, dite en catalan *camaril*.

L'histoire du monastère se réduit dès lors aux luttes continuelles contre la juridiction civile et contre la tutelle du diocèse. En 1460 commence la série des abbés commendataires dont l'éloignement ne favorise certes ni le relèvement ni le prestige du monastère ! La réforme, introduite en 1597, lors de l'institution de la Congrégation claustrale de Tarragone, rendit la direction du monastère aux abbés du pays, dont le dernier mourut en 1845.

Les sérieuses réparations exigées par un monument aussi insigne, après les troubles politiques qui, pour la première fois, éloignèrent les moines de leur monastère durant le triennat constitutionnel, le rendirent victime des théories néo-classiques lors de sa restauration, en 1830. Les cinq nefs majestueuses furent alors réduites au nombre de trois, moyennant la suppression des deux rangées de piliers alternant avec des colonnes qui divisaient les collatéraux, et l'intérieur fut transformé par des crépissages et des moulures de plâtre au goût de l'époque. Cette mutilation, affectant la base d'un ensemble architectural réalisé en des époques différentes, fut une des causes de son effondrement et de sa ruine dont le point de départ immédiat fut l'incendie du 9 août 1835 qui mit fin à la vie monastique. Les trésors du temple furent pillés par les incendiaires et les longues années d'abandon effacèrent les traces des dépendances claustrales; il ne resta plus que les cloîtres à demi-ruinés et la basilique aux voûtes effondrées, impressionnant amas de pierres où l'on pouvait à peine reconnaître l'importance architecturale d'un monument d'une telle classe !

Les essais de restauration parvenaient à grand peine à enrayer la ruine lorsque l'évêque de Vich, Joseph Morgades, obtint la cession de celles-ci en 1885. L'insigne prélat entreprit aussitôt avec une courageuse hardiesse de rendre à Ripoll le monument singulier qui résumait son histoire. L'écho que son geste trouva dans les énergies du pays rendit possible la coûteuse restauration qui fut confiée à l'architecte Élie Rogent. Celui-ci s'inspira pour la réaliser, des meilleurs exemples de l'architecture romane, afin de faire renaître la basilique que l'on croyait alors entièrement construite durant le XIe siècle. Les travaux durèrent sept ans et eurent pour résultat la reconstruction intégrale, telle qu'on peut la voir de nos jours. L'église fut consacrée solennellement une nouvelle et dernière fois le 1er juillet 1893. Mille ans la séparaient de la fondation de Ripoll. Cependant elle put réunir toutes les autorités représentatives, comme aux temps les meilleurs, et la basilique votive consacrée à sainte Marie se vit enfin rendue au culte.

La reconstruction qui rendit vie au monument, suivit les conceptions et les critères de l'époque, mais ne réussit pas à restituer la variété des nuances qui composaient la vieille structure; quelques-unes étaient presque imperceptibles au travers des ruines, d'autres étaient masquées par les modifications apportées au cours du temps, d'autres enfin ne furent appréciées que plus tard, grâce à une plus large connaissance de l'histoire. Le caractère uniforme imprimé à toute l'œuvre a banni l'émotion que devait produire la troisième basilique, construite au Xe siècle, avec ses cinq nefs couvertes d'une armature de bois, au-dessus des amples baies, étouffées actuellement sous la charge d'une voûte hybride; cette émotion devait encore s'intensifier devant le majestueux transept flanqué de sept absides, sur la crypte disparue, et devant le corps d'édifice, qui, à l'entrée des nefs, formait la base des deux tours dont l'une se termine actuellement de façon arbitraire.

Les cloîtres, détachés des dépendances monastiques, furent reconstruits, mais ils ne conservent plus la moindre trace du mausolée comtal qui abritait les dépouilles des fondateurs et de leur lignée, celle des descendants de la maison de Cerdagne-Besalú jusqu'aux deux derniers comtes de Barcelone. Par contre le portail grandiose est conservé, touché par quelques mutilations et surtout attaqué par des érosions qui, sans pitié, rongent la pierre. Ce portail demeure le témoignage de la splendeur du monastère et constitue à lui seul une sorte de résumé de son activité artistique.

NOTES

NOTES SUR QUELQUES ACTIVITÉS ARTISTIQUES DE RIPOLL

Le scriptorium monastique

La suprématie acquise par le monastère de Ripoll pendant la période comtale, est justifiée non seulement par son rôle dans la réorganisation de la vie monastique et la rénovation de l'esprit liturgique dans le pays, mais encore par son intense activité qui le plaça indiscutablement au rang des centres culturels les plus importants de son époque. L'école monastique se développa auprès d'une vaste bibliothèque, s'augmentant sans cesse sous l'impulsion des abbés, et près d'un scriptorium d'une activité intense, qui posséda les manuscrits les plus appréciés dans tous les domaines du savoir. Cette école se distingua par son éclat dû à la rencontre des cultures diverses qui fusionnaient en elle, sous une forme originale et homogène, d'autant plus remarquable et appréciable qu'elle se produisait en un siècle où les courants cachés luttaient pour remonter à la surface de la civilisation européenne : d'une part l'ancien courant racial vitalisé par la civilisation chrétienne-wisigothe et revigoré sous l'influence de la renaissance carolingienne, d'autre part le courant nouveau que les écoles musulmanes avaient fait jaillir des cendres de la culture grecque. Tout cela se mêle et s'entrecroise à Ripoll et aboutit à une fusion de valeurs qui affermit l'étude des lettres et met au point l'étude des sciences.

La bibliothèque de Ripoll nous est parfaitement connue grâce aux inventaires qui précisent le nombre des manuscrits et les caractéristiques des auteurs et des matières qu'ils réunissaient; elle nous est connue aussi à travers la documentation littéraire qui décrit l'activité des moines copistes et le zèle que les abbés mettaient à se procurer les manuscrits à la faveur de leurs voyages ou grâce à leurs relations avec d'autres centres culturels. Lorsqu'on connaît les trésors que cette bibliothèque possédait on ne s'étonne pas de ce que le moine d'Aurillac, Gerbert, informé de leur existence par Atton, évêque de Vich, et par Borrell, comte de Barcelone, lors de leur passage dans son monastère, vers 967, accourut à Ripoll pour y satisfaire son désir de savoir. Il fut émerveillé devant les richesses extraordinaires qu'offraient les nombreux livres d'art avec textes de Donat, Priscien, Cicéron, Macrobe et Boèce, permettant des études philosophiques, et surtout par les traités d'arithmétique, géométrie, astronomie et musique. Gerbert fut ravi aussi de rencontrer les esprits du pays les plus brillants avec lesquels il maintint d'intenses rapports culturels, dans les places élevées qu'il occupa avant d'être élu pape quelques mois avant l'an mil sous le nom de Sylvestre II.

Selon Beer, le meilleur connaisseur de la bibliothèque de Ripoll, nulle bibliothèque de la péninsule ibérique ne possédait un aussi grand nombre de manuscrits, à l'exception peut-être de celle de Tolède, mais on manque de preuves pour l'affirmer. L'importance de la bibliothèque de Ripoll fut égale à celle qu'eurent à la même époque les bibliothèques des grands centres monastiques de Bobbio et de Saint-Gall. Elle fut formée par les premiers manuscrits liturgiques reçus lors de la consécration de la basilique de Ripoll en 888; au bout d'un siècle, en 979, l'inventaire effectué à la mort de l'abbé Witisclo enregistre 66 manuscrits; à la mort de son successeur Seniofred, en 1008, le nombre est porté à 121, puis à 246 à la mort de l'abbé Oliba en 1046. Un tel progrès laisse entendre quelle dut être l'activité du scriptorium qui, sous les deux derniers abbés, sut réaliser un aussi grand nombre d'exemplaires; cette production alla sans doute de pair avec l'acquisition de manuscrits et la confection de copies destinées à d'autres bibliothèques. La plus grosse partie de ces œuvres était constituée par les textes nécessaires à l'exercice du culte et à la vie ascétique du monastère, par des livres liturgiques, les Écritures, des traités et commentaires faits par les Pères de l'Église, ainsi que par des ouvrages didactiques de formation grammaticale et rhétorique, de dialectique et de philosophie. Il y avait aussi des recueils de préceptes royaux et décrétales, de textes d'histoire, de théories de la musique, de traités d'arithmétique, d'arpentage, de questions juridiques, des mélanges de compilations et des exercices scolaires. Les classiques allaient de Jules César, Plutarque, Juvénal, Térence, Virgile et Horace, aux figures qui eurent le plus d'influence sur la pensée du Moyen Age, tels saint Augustin, saint Jérôme et saint Grégoire, et aux hispaniques saint Isidore, saint Ildefonse, saint Fulgence. La bibliothèque de Ripoll possédait aussi une des encyclopédies les plus en avance, que les copistes monastiques s'appliquaient à tenir à jour.

Dès le début on copie des manuscrits hispaniques provenant de la fameuse école de Tolède et des autres centres monastiques qui sortaient alors de la somnolence où gisait la culture dans les royaumes du Nord. Les Pyrénées, ouvertes au courant carolingien, attiraient les matériaux élaborés par celui-ci dans les monastères avec lesquels Ripoll avait noué des liens culturels. La route de Rome ouvrait le chemin d'Italie d'où l'abbé Arnulf apporta des manuscrits lors du voyage qu'il y fit en 951. A cette époque le moine Jean composa la copie des décrétales, datée de 958, qui échoua à la Bibliothèque épiscopale du Puy. Le nombre sans cesse croissant des manuscrits montre l'activité de l'atelier qui atteignit son apogée sous l'abbé Oliba. La puissante personnalité de ce dernier donne plus d'ampleur encore aux rapports monastiques de Ripoll. Oliba est l'ami de Gauzlin, abbé de Fleury, et de Sancho le Grand de Navarre; sa qualité d'évêque de Vich lui confère une grande influence sur le pays tout entier où il est considéré comme le patriarche du monachisme. Il voyage souvent en compagnie de ses meilleurs moines, et ne laisse jamais passer l'occasion de se procurer de nouveaux textes que l'on conserve dans son scriptorium et qui sont aussitôt recopiés pour être envoyés à d'autres bibliothèques; à cet effet Oliba encourage également l'activité des ateliers des cathédrales de Vich et de Gérone. Ripoll est à cette époque riche d'une élite intellectuelle parmi laquelle se détachent les noms de Segoino, instigateur de travaux, Guifred, auteur d'un prologue aux Homélies de saint Grégoire, Pierre, qui travaillait à un bréviaire musical, Arnald, scolastique compilateur de lois et de décrétales, et qui fut peut-être chef de l'atelier, Oliba, homonyme de l'abbé, érudit en poésie, musique et science, et Gualter, collaborateur des deux derniers.

Avec raison le R. Père Albareda, biographe d'Oliba, affirme que de l'éducation littéraire, orientée par ce dernier, dérivèrent trois courants d'études : celui de l'historiographie catalane, qui, en vers ou en prose, s'émancipa des arides chroniques pour devenir des modèles d'histoire narrative basée sur les documents; celui de la poésie, qui, suivant la trace des meilleurs auteurs conservés à la bibliothèque, donna lieu à un grand nombre de compositions où sous forme de poèmes on célébra des figures historiques; celui enfin de l'hagiographie, suscité par la vénération des reliques et par la lecture des livres relatant la Passion, qui provoqua une abondante floraison de textes.

Le côté artistique apparaît moins soigné dans la composition des manuscrits, dans les manifestations de leur partie ornementale et dans les illustrations que copistes et miniaturistes fixèrent sur les pages. Parmi les rares manuscrits antérieurs au XIIe siècle, et provenant de la bibliothèque de Ripoll, conservés aux Archives de la Couronne d'Aragon à Barcelone, aucun ne contient des miniatures. Mais cependant les ouvrages illustrés existèrent et furent réalisés au scriptorium par de patients miniaturistes qui usèrent d'un répertoire de formes et de couleurs inspiré par des manuscrits de diverses provenances, surtout par des Bibles hispaniques et des Apocalypses de Beatus. La preuve en est déjà le livre des Évangiles qu'un an après la mort d'Oliba on termina au scriptorium, et qui est orné de lettres capitales et de figurations enluminées et peintes; mais surtout et plus encore le courant artistique qui se développa plus tard dans l'art figuratif et parvint à une grande maîtrise dans la peinture et dans la sculpture. L'influence de Ripoll se fit largement sentir alentour, ce qui serait inexplicable sans l'existence d'un fonds très riche et sans la tradition d'une école.

Une partie de ce fonds nous est révélée par deux exemplaires de la Bible, l'un, provenant de l'école de Ripoll et attribué par erreur à Farfa, conservé à la Bibliothèque Vaticane (Lat. 5729), l'autre conservé à la Bibliothèque Nationale de Paris, provenant du monastère de Sant Pere de Rodes (Lat. 6). Tous les deux se rejoignent, dans la structure de leur composition, dans la tradition de leur texte, dans le style de leurs nombreuses enluminures; la critique a pu aisément établir non seulement leur provenance hispanique, mais encore précisément catalane, et a pu y voir des œuvres sorties des ateliers de Ripoll, réalisées par les soins des copistes et des miniaturistes. Selon Neuss, leur ascendance artistique doit être cherchée dans un manuscrit de l'époque wisigothique, richement illustré, dont la copie fut connue à Ripoll, si toutefois elle ne se trouvait pas parmi les trois exemplaires de la Bible enregistrés dans l'inventaire du XIe siècle. Les moines y trouvèrent les modèles figuratifs qu'ils reproduisirent au début de ce siècle, sans doute sous l'abbatiat d'Oliba. Plusieurs artistes collaborèrent à l'exécution de ces exemplaires. La Bible de Rodes formait alors un seul volume, mais se trouve actuellement découpée en quatre tomes. Les deux premiers volumes présentent des figures tracées en noir et coloriées en rouge, pourpre, orange, ocre, bleu et vert, avec quelques glacis ; les deux derniers volumes n'ont pas de couleurs. Sur le contour des dessins de la Bible de Ripoll dominent les tons blancs, verts, ocres, carmins, rosés et noirs, quelquefois superposés. Les illustrations figuratives s'enlacent aux initiales du texte ou restent au milieu ou dans la marge de celui-ci. Souvent cependant elles forment des cycles entiers qui se développent sur toute la page, divisés par des bandes horizontales. La stylistique employée, bien que faisant penser à des modèles nettement antérieurs, n'accuse pas leur hiératisme et tend à imprimer un mouvement aux figures ; celles-ci sont traitées avec des traits plus simples et sont caractérisées par un certain expressionnisme des attitudes et des actions qui les anime, justifié par le dramatisme des sujets. La Bible de Ripoll est plus abondamment décorée que celle de Rodes où le texte du Nouveau Testament est dépourvu d'enluminures. Elles contiennent des cycles complets, dans la partie historique du Pentateuque et des livres des Rois, d'Ézéchiel et de Daniel, avec les mêmes sujets interprétés de façon différente en chaque exemplaire, ce qui prouve la liberté artistique : l'illustration étant davantage conçue comme l'interprétation du texte que comme la copie servile de compositions antérieures.

La réalisation d'un ensemble aussi remarquable vient confirmer l'activité du scriptorium dans tous les domaines, activité qui permit aux copistes et aux miniaturistes de collaborer à la production de manuscrits destinés à la bibliothèque et à l'usage monastique, en même temps qu'à satisfaire les commandes des autres monastères, églises ou seigneurs. Au même instant se renforce une école de miniaturistes dont les travaux d'art, pendant les périodes suivantes, s'intensifièrent autour de Ripoll et marquèrent sculpture et peinture. L'iconographie du portail de la basilique, érigé un siècle plus tard, suit exactement les cycles des thèmes des livres de l'Exode et des Rois qui figurent sur l'exemplaire de la Bible de Ripoll. Elle répète les mêmes scènes (pl. 92, 93 et 94-95) qu'elle dispose également en registres

superposés. Les figures de ces deux œuvres se ressemblent étroitement comme l'a démontré M. Pijoan. Donc, si ce ne fut pas cet exemplaire même qui servit de modèle aux réalisateurs du portail – cette œuvre capitale de la sculpture romane –, ce fut du moins un exemplaire assez semblable.

L'école de Ripoll résista aux crises qui se produisirent à la suite de la mort de l'abbé Oliba, lorsque le monastère, pris en charge par les comtes de Besalú, connut des irrégularités simoniaques qui motivèrent son annexion à Saint-Victor de Marseille en 1070, avec introduction de moines étrangers à l'esprit de la maison.

A mesure que la civilisation occidentale s'imposait sous l'unité monastique clunisienne, le monastère perdit le prestige dont il avait joui et son éminent rôle culturel. Cependant, ses solides bases de culture survécurent suffisamment pour lui faire connaître d'autres moments d'éclat. Ce fut surtout au début du XIIe siècle que le monastère, alors sous la protection de la maison comtale de Barcelone, à un moment où le pays s'agrandissait rapidement, connut une nouvelle floraison de valeurs qui, associées aux courants littéraires et historiques, influèrent sur la production de sa meilleure œuvre artistique.

le portail

L'entrée principale de l'église monastique de Ripoll est constituée par un portail où se développent de nombreux sujets iconographiques entourés à profusion de motifs décoratifs. Ce portail présente une structure classique, à la manière d'un arc de triomphe, mais simplifié dans ses éléments de construction et conçu suivant une nouvelle interprétation qui l'adapte au langage de l'époque et à ses moyens d'expression (pl. 85). Du point de vue architectural il se compose d'un socle étroit sur lequel s'élèvent deux corps : le corps inférieur, de chaque côté des montants de l'arc central, qui est limité par des colonnes sous la corniche qui prolonge les impostes de l'arc ; le corps supérieur, également délimité par deux colonnes situées à chaque extrémité du portail, avec une frise supérieure en dents de scie qui le sépare du troisième corps, lequel embrasse l'ensemble à la manière d'une architrave. La zone supérieure de ce troisième corps est constituée par une frise ininterrompue qui surmonte l'ensemble. Celui-ci est formé de six registres qui occupent les parements des corps inférieurs, de chaque côté des sept voussures du portail. Ces dernières retombent tantôt sur des colonnes, tantôt sur des montants en biseau, sauf pour celui qui forme la porte. Les éléments décoratifs d'encadrement se limitent aux fines colonnes et aux impostes qui

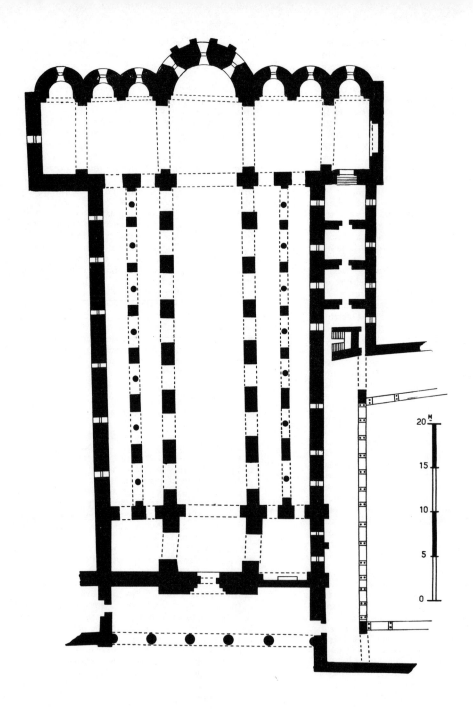

RIPOLL

les réunissent, tels des tailloirs prolongés, ornés à profusion de feuillages et d'entrelacs qui s'étendent aux douelles des archivoltes. Les registres figuratifs intermédiaires se terminent par des bordures lisses sur lesquelles on pouvait lire autrefois des inscriptions qui expliquaient les sujets représentés, mais qui sont presque effacées de nos jours, par suite de l'incendie de 1835 qui rongea la surface de la pierre, et par suite aussi de l'inclémence des temps qui a contribué à mutiler également une grande partie des figures. La disparition de la plupart des inscriptions rendait difficile l'identification des scènes; voici seulement un siècle elles étaient considérées comme une énigme. Aujourd'hui elles ont été parfaitement expliquées grâce aux études de Pellicer, de MM. Gudiol et Puig y Cadafalch, et surtout depuis que M. Pijoan a mis en évidence le fait que parmi les modèles dont se servirent les sculpteurs, figurent les enluminures de l'une des Bibles sorties des ateliers mêmes de Ripoll.

La composition des voussures

L'ouverture de la porte se développe dans l'épaisseur du mur au moyen de sept demi-cercles concentriques en retrait les uns par rapport aux autres – au-dessus d'une corniche qui délimite la base du portail –, et en prolongement des montants et des colonnes. L'arcade qui s'appuie sur les colonnes extérieures se compose d'un simple feston de feuilles d'acanthe vues de face. La deuxième arcade contient vingt-six médaillons formés d'entrelacs végétaux entourant des figurations d'animaux, sauf dans le médaillon central, où se trouve l'Agnus Dei portant la croix, et dans ceux qui l'encadrent, où sont représentés des anges adorateurs; cet arc prend naissance sur les montants en biseau qui, comme ceux qui supportent la sixième arcade, sont décorés de figures et d'animaux en relief auxquels se mêlent les signes du zodiaque. La troisième arcade se dresse sur des chapiteaux dont les colonnes sont remplacées par les figures de saint Pierre et de saint Paul sur des piédestaux ornés respectivement de lions entrelacés et d'aigles terrassant le dragon. Par la clé et par le livre on reconnaît saint Pierre, dans son habillement traditionnel composé d'une tunique et d'un manteau serrés autour du corps en plis stylisés. Saint Paul est identifié par le rouleau qu'il porte déployé. La perte des têtes de ces deux figures ne diminue pas la force qui émane de leur position statique. L'arcade qui les surmonte présente une large partie sur laquelle le ciseau du meilleur sculpteur, en une œuvre soignée, transcrivit, en six parties, des scènes de la vie des apôtres saint Pierre et saint Paul. Se rapportant au premier on

trouve la guérison du boiteux, la résurrection de la femme Tabitha (pl. 84), saint Pierre devant Néron, la chute de Simon le Magicien, l'arrestation de l'apôtre et sa crucifixion. Viennent ensuite les scènes se rapportant à saint Paul avec sa présentation à Ananie, son baptême, sa prédication aux Juifs et aux païens, son emprisonnement, sa décapitation et enfin le bourreau tenant la tête de l'apôtre dans ses mains, comme l'indiquent d'ailleurs les inscriptions restées lisibles sur cette partie. La quatrième arcade est formée simplement de trois cannelures ourlées; elle émerge des montants en biseau ornés de serpentins et de feuillages. La cinquième arcade se développe dans un robuste tore d'un magnifique effet décoratif : le tressé végétal aux feuilles stylisées qui le revêt, s'harmonise avec les colonnes de support. La sixième arcade présente sur la surface de gauche cinq scènes de l'histoire de Jonas; elles partent du sommet de l'arc où l'on peut voir la figure du prophète devant la main de Dieu, recevant l'ordre d'aller à Ninive. Puis viennent la scène où il est jeté à la mer, celle où il est vomi par la baleine, celle de la prédication aux Ninivites et celle du murmure de Jonas sous le lierre. Ces scènes font pendant à cinq autres qui, du côté opposé, représentent des passages de l'histoire de Daniel : Nabuchodonosor endormi à l'ombre de l'arbre touffu de son rêve, le roi à côté de la statue qu'il fait adorer par ses sujets, les musiciens jouant de la harpe et de la cithare, les bourreaux attisant le feu du four où sont placés les trois jeunes hommes qui refusent d'adorer la statue, enfin l'ange menant par les cheveux le prophète Habacuc pour qu'il vienne en aide à Daniel, enfermé dans la fosse aux lions, couchés à ses côtés. La septième et dernière arcade à la section plate, qui encadre la porte, s'orne extérieurement d'un lourd ruban plissé. La clé de l'intrados contient le médaillon représentant le Tout-Puissant assis sur un trône et nimbé d'une auréole crucifère. Il bénit et montre le livre de la Loi, deux anges l'adorent, un de chaque côté, et l'encensent (pl. 97).

A l'intérieur des carrés suivants on peut voir Caïn, prétendant offrir les fruits de la terre, en contraste avec Abel qui offre un agneau, (pl. 91) puis l'innocent assassiné par son frère dans une scène qui s'oppose à celle de l'ensevelissement de son cadavre. Sur les montants verticaux divisés également en carrés figurent les mois de l'année représentés par les travaux des champs correspondant à chacun d'eux, et distribués à raison de six par côté. Le calendrier commence par janvier à la partie inférieure de droite où l'on voit un bûcheron en train de s'approvisionner en bois pour son foyer; un homme et une femme fabriquant du fromage symbolisent le mois de février; l'allégorie de mars consiste en l'image d'un homme qui travaille la terre sous le premier bourgeon d'un arbre où se pose un oiseau; le paysan contemplant le blé qui pousse dans son champ, à l'ombre d'un arbre fleuri où il fait paître son troupeau, est une allusion au mois d'avril; mai vient avec les premiers fruits qu'un homme et deux jeunes filles cueillent; juin, c'est la moisson. En haut, de l'autre côté, l'allégorie se poursuit : juillet est représenté au moyen d'un homme qui charge une gerbe sur son dos, aidé par sa femme; août, par deux hommes qui cerclent la cuve pour les vendanges; septembre, par les vendanges effectuées par un homme et une femme; le gardien de cochons sonnant du cor pour rassembler le troupeau qui mange des glands, représente le mois d'octobre; la mort du cochon qu'une femme attire pour qu'il reçoive le coup fatal, évoque le mois de novembre; décembre enfin est symbolisé par les époux devant le foyer, tandis que les jambons pendent au plafond. En dehors de ces scènes, inspirées de la vie quotidienne, les sources d'inspiration des autres sujets émanent de l'iconographie traditionnelle des cycles de Jonas et de Daniel, si longtemps représentés depuis la formation de l'art chrétien, et de ceux de Caïn et d'Abel auxquels s'ajoutent les sujets inspirés de la vie des princes des apôtres dans lesquels les éléments de composition, consacrés par l'usage, permettaient aisément de les reconnaître. Leur adoption dans les reliefs sculptés des arcatures signifie l'appel des hommes par Dieu au long des temps, désirant les conduire, par le sentier de l'Église, au sacrifice du culte qui mène à Lui.

La composition du frontispice

La frise supérieure qui constitue le sommet du portail, est limitée en bas par des dents de scie qui s'étendent sous un tore décoré d'entrelacs et forme sa base. En haut, elle se termine par une petite corniche en biseau, arquée au milieu et ornée d'un ruban plissé, soutenu par dix-huit petites consoles ornées de têtes et de figures d'animaux; sur les espaces intermédiaires sont placés des motifs floraux stylisés. Le Seigneur, en position de majesté, assis sur un trône somptueux, dont les montants sont couverts de dessins en spirales, bénit de la main droite et tient le livre de la Loi (pl. 98). Le nimbe crucifère auréole sa tête aux cheveux partagés et à la barbe bouclée (pl. 99); tunique et manteau aux riches orfrois couvrent son corps et retombent en plis abondants; de chaque côté un ange descend d'un nuage, tandis qu'un autre s'agenouille en signe d'adoration. La vision apocalyptique est complétée par le tétramorphe : à droite, debout, se voient l'ange qui symbolise saint Matthieu portant un rouleau déplié, et l'aigle de saint Jean tenant dans ses serres le livre de l'Évangile; les deux autres symboles apparaissent

dans la zone inférieure au-dessus de l'arc : le lion de saint Marc et le taureau de saint Luc (pl. 96) tenant leurs livres respectifs et se tournant le dos, ce qui obligea l'artiste à leur imprimer une contorsion de la tête pour les faire regarder en haut, vers le centre. Ainsi a-t-il créé une centralisation visuelle des deux registres supérieurs sur lesquels s'achève harmonieusement l'arc de la porte. La vision est complétée et précisée par la présence des vingt-quatre vieillards de l'Apocalypse, disposés en file, portant des couronnes et revêtus de tuniques et de manteaux aux plis flottants; cette composition suit un rythme ondulé qui traduit bien la joie exultante qu'expriment aussi les cithares, agitées d'une main par les vieillards tandis qu'ils offrent de l'autre leur mystérieux calice.

Le lion de saint Marc et le taureau de saint Luc relient la vision céleste au registre inférieur sur lequel vingt-deux bienheureux se dirigent vers le centre, les têtes levées vers l'apparition du Seigneur. Nimbés d'auréoles, ils portent des tuniques et des manteaux aux plis prononcés, et sont animés du même rythme que les Vieillards quoique les rouleaux ouverts qu'ils montrent de la main leur donnent une position plus statique. Ces rouleaux portaient sans doute des inscriptions disparues aujourd'hui qui devaient indiquer les noms des personnages. On peut supposer qu'il s'agit d'apôtres puisque l'on remarque une scie, instrument du martyre de saint Siméon, tenue par la troisième figure du côté droit, élément complété par d'autres également disparus par suite de la mauvaise conservation de la pierre. Aux douze Apôtres (Judas est remplacé par saint Mathias) est joint saint Barnabé, et sur les extrémités latérales saint Jean-Baptiste et le prophète Isaïe. Le nombre est complété en outre par des figures de bienheureux que M. Gudiol estima être celles de sept saintes, reconnaissables aux toques qui coiffent leur tête; elles sont réparties en deux groupes : trois d'un côté, quatre de l'autre, parmi les apôtres, et s'identifient sans doute aux saintes invoquées au canon de la messe.

Dans les registres inférieurs se développent deux cycles différents, un de chaque côté de la naissance des arcs de la porte. Dans leur exécution les sculpteurs se sont inspirés des miniatures de la Bible de Ripoll se rapportant au livre de l'Exode (folio 1) et à celui des Rois (folio 95).

Le cycle de l'Exode (pl. 87), situé à droite du spectateur, commence sur la partie latérale supérieure du portique, par une brève allusion au passage de la mer Rouge inscrite dans le petit espace disponible; Moïse lève sa baguette, et un homme et une femme, symbolisant le peuple, passent à gué sous la protection de la main de Dieu qui apparaît en haut, dans un geste de bénédiction. Les scènes suivantes : celle du peuple entonnant le cantique triomphal après avoir traversé la mer Rouge, celle des eaux amères trouvées à Mara, celle des sources sous les palmiers d'Elim, ont été omises par le sculpteur qui, s'inspirant des enluminures, passa immédiatement aux compositions situées sur le registre intermédiaire du folio de la Bible de Ripoll. L'ordre du récit historique en fut brisé. Sur la surface restante l'artiste a donc sculpté les scènes de la pluie de la manne, de la pluie de cailles et de la promesse de ces prodiges dans le désert de Sin. Celle-ci, la première à être représentée (Ex. 16, 10-14), est identique à l'enluminure du manuscrit jusque dans le nimbe de cercles concentriques qui auréole la tête de Moïse; elle représente le chef d'Israël, vêtu d'une tunique et d'un manteau, et Aaron, portant une tunique courte, en train de répondre aux murmures du peuple représenté par six personnages dont une femme, les bras levés en gestes menaçants. Moïse et Aaron les apaisent en promettant l'assistance divine pour leur subsistance et leur montrent la colonne de feu auprès de laquelle apparaît la tête et les ailes d'un ange. Suit la scène de la pluie de cailles qu'un nouveau groupe de six figures ramasse à mesure que le vent, personnifié par le souffle d'Éole, les fait tomber des nues. Cette composition est semblable à la suivante où le même nombre de personnages guette les écuelles disposées sur le sol afin de recevoir la manne qui descend du ciel. Le récit se poursuit à l'extrémité opposée du même registre par la scène du rocher d'Horeb (Ex. 17, 1-7); Moïse assisté par Aaron frappe le rocher de sa baguette et la source jaillit à la stupeur admirative du peuple, figuré par quatorze personnes parmi lesquelles se trouve une femme (pl. 93 et 92). Juste au-dessous de cette scène, sur le registre inférieur, se développe la bataille de Josué vainqueur d'Amalec en Rephidim (Ex. 17, 8-12). On reconnaît d'abord Moïse entre Aaron et Hur qui soutiennent ses bras, tandis que de l'autre côté a lieu la bataille; le sculpteur l'a distribuée en deux groupes : le premier est composé de quatre soldats armés de lances, avec casque et bouclier rond; un ennemi est étendu à leurs pieds. Le second groupe comprend quatre cavaliers attaquant quatre ennemis également à cheval (pl. 88); il y avait aussi un soldat à terre mais il a disparu. Seul un de ses pieds est encore visible.

Les cavaliers sont habillés comme les soldats et se différencient des ennemis grâce à leurs boucliers pointus. Avec cette rencontre de cavalerie le sculpteur s'éloigne de l'enluminure – peut-être s'inspira-t-il d'une autre qui lui offrait le sujet? – en tout cas, il sut en faire une composition heurtée qui impressionne dans le mouvement d'ensemble des figurations du portail. On sent que l'artiste s'est plu à réaliser cette partie, car il lui a fait dépasser l'angle de la façade : sur le carré latéral se trouvent en effet deux cavaliers placés dans un sens contraire à celui des premiers, et che-vauchant parallèlement tandis que l'un frappe l'autre et le fait tomber de cheval (pl. 90).

L'autre cycle biblique occupe les deux registres correspondants de l'autre côté, mais selon un rythme différent qui part de la zone inférieure à partir de la base latérale du portique. Les scènes sont inspirées du livre des Rois et partent du transfert de l'Arche de l'Alliance à la ville de Jérusalem (II Reg. 6) (pl. 86) qui ne figure pas parmi les miniatures de la Bible de Ripoll mais que l'artiste a pu tirer d'autres illustrations. Elle commence sur le carré latéral où se trouvent trois personnages vêtus de tuniques, deux jouant du rebec et le troisième de la harpe, sous la conduite d'un quatrième personnage qui semble en être le chef. Puis vient le transfert de l'arche en forme de coffre muni de couverture à deux versants; placée sur un chariot tiré par deux bœufs elle est suivie d'un personnage qui sonne du cor et dont la main droite est posée sur l'Arche, allusion évidente à l'épisode d'Oza qui, croyant que l'Arche allait tomber, la soutint de sa main et mourut à l'instant même, puni d'avoir usurpé une fonction propre aux lévites. Cet épisode qui eut lieu pendant le transfert de la maison d'Aminadab à celle d'Obededom, est inclus dans la représentation du transfert de la maison d'Obededom à Jérusalem. C'est d'elle en effet qu'il est question ici à en juger par la joie que manifeste David qui, vêtu d'un éphod de lin, danse devant l'Arche tandis que sa femme Michol le regarde de la haute fenêtre d'une maison à la porte en arc jumelé. La composition est complétée par le groupe qui suit, formé de sept musiciens sonnant du cor et dansant devant le roi, symbole des sept chœurs du récit biblique. Le sculpteur copia à nouveau les enluminures de la Bible à partir de la scène suivante où l'on voit la ville de Jérusalem ravagée par la peste (II Reg. 24, 15-17), fléau infligé par Dieu à David pour le punir d'avoir recensé le peuple d'Israël. Derrière les murailles crénelées apparaissent les hautes tours de la ville d'où émergent les têtes des pestiférés; quatre cadavres sont étendus sur le portique, tandis que l'ange retient son épée devant le repentir du roi qui, près de lui, la main sur la poitrine, demande à être puni sur sa personne. Dans la scène qui suit, le roi, assis, ébauche un geste de contrition devant le prophète Gad, auréolé, vêtu d'un long vêtement et ayant le livre à la main, qui ordonne à David d'acquérir l'aire d'Areuna dans laquelle l'ange lui est apparu, et d'y ériger un autel au Seigneur; cinq soldats, tête baissée et sans casque, avec leurs boucliers, leurs lances, et vêtus de simples tuniques de toile, assistent à cette scène. Le cycle se poursuit sur le registre supérieur avec la représentation de Bethsabée agenouillée aux pieds du vieux roi, en train de réclamer le trône pour son fils Salomon (III Reg. 1, 15-31). A côté d'elle se trouve le prophète Nathan nimbé d'une

253

auréole et portant un livre; il intervient dans la décision du roi qui est représenté assis sur un trône couvert d'un coussin, la tête ceinte d'une couronne, le sceptre à la main, soutenu dans sa vieillesse par la sunamite Abisag vêtue d'un voile et d'une toque. L'intronisation de Salomon (III Reg. 1, 38-40) occupe le relief suivant, elle figure le moment où Nathan oint roi le fils de David et celui où le nouveau prince, chevauchant la mule préférée de son père, est acclamé par le peuple. On voit ensuite la scène du jugement de Salomon (III Reg. 3, 16-28). Le roi, assis sur un trône somptueux, prononce la sentence qu'un soldat se dispose à exécuter devant les deux mères agenouillées, en train de soulever les corps des enfants disputés. Comme dans les miniatures de la Bible, le sculpteur a inséré cette scène avant celle du rêve du roi demandant à Dieu la sagesse (III Reg. 3, 4-15). Salomon est montré couché, couvert d'un drap qui épouse la forme de son corps et retombe en plis ondoyants. Au-dessus de lui dans une mandorle soutenue par deux anges, apparaît le Seigneur sur le trône de sa majesté, nimbé d'une auréole crucifère, bénissant de la main droite et portant le livre de la Loi (pl. 94, 95). La composition contient en germe les éléments essentiels qui se fixeront plus tard dans l'iconographie de l'arbre de Jessé. Dans celle-ci sera exprimée la bénédiction promise à la descendance royale de David et de Salomon et les prophéties annonçant Jésus-Christ. Le dernier carré, à côté du portique, renferme, comme la page illustrée de la Bible, la scène du rapt d'Élie (IV Reg. 2, 11). Le sculpteur en a éliminé les prophètes et les disciples en raison de l'espace restreint dont il disposait; on voit seulement Élie, enlevé sur le char de feu, et entraîné vers les nuées, tandis qu'Élisée a juste le temps de saisir son manteau, qui lui reste entre les mains.

Au-dessous de ces registres si remplis de figures s'étend la base du portail divisée en deux parties, et ornée de reliefs de plus grande taille. Dans la partie supérieure se trouvent cinq figures, chacune placée à l'intérieur d'un portique formé d'arcs en plein cintre légèrement moulurés de petits fleurons et de rubans plissés sur de fines colonnes doubles. A gauche, au-dessous des scènes du livre des Rois, on reconnaît David assis sur un trône riche, devant un rideau, tenant sceptre et livre, vêtu d'une tunique et d'un manteau boutonné sur l'épaule droite, et coiffé d'un bonnet conique placé sur une couronne à quatre fleurons. A ses côtés se tiennent les musiciens vêtus jusqu'aux genoux de tuniques et jouant du violon, des cymbales, du cor et du chalumeau (pl. 89), illustrant en cela le psaume 150 où le prophète royal invite tous les peuples à louer Dieu avec des instruments de musique; cette scène a un rapport étroit avec celles qui se trouvent au-dessus et fait partie du cycle

destiné à glorifier le Seigneur selon la constitution religieuse du peuple d'Israël suggérée par le transfert de l'Arche, et la race royale de David et de Salomon qui trouve son accomplissement messianique dans le Christ. La représentation de David au milieu des musiciens a donc pour raison d'être le fait que le roi psalmiste est une préfiguration du Christ lui-même auquel s'adressent aussi cantiques et louanges. Dans le registre qui correspond à celui-ci, du côté opposé, se détache la figure du Seigneur nimbée d'une auréole crucifère, enveloppé dans un somptueux manteau et une tunique, tenant un rouleau déplié à la main et bénissant les personnages qui s'adressent à lui. Le premier de ces personnages, vêtu d'une tunique et d'un manteau, semble recevoir quelque chose dans ses mains voilées; le second est vêtu d'une tunique courte et d'un manteau ouvert sur le côté gauche; il tient la main droite sur sa poitrine et porte l'autre sur les rubans d'une boucle; le troisième a des habits pontificaux, crosse, livre et mitre, chasuble bordée de beaux orfrois et d'une bande centrale qui se termine par trois clochettes; le dernier personnage est habillé comme un chevalier : sa tunique est courte et richement ornée, son manteau, sorte de chlamyde, est plein de grâce, sa tête, disparue, devait être coiffée d'un casque; il tient un livre de la main droite tandis que la gauche désigne le Seigneur. La disparition des inscriptions qui devaient indiquer les noms de ces personnages de même que celle qui devait figurer sur le rouleau du Seigneur, a donné lieu à des interprétations diverses. Mais si l'on tient compte du lien existant entre les scènes, il suffit de poursuivre le récit de l'Exode interrompu au registre supérieur à la bataille de Rephidim, pour voir avec certitude dans cette représentation le Seigneur donnant la Loi à Moïse. Celui-ci, selon la tradition, la reçoit avec les mains voilées. Derrière lui se tient Aaron. Les figures de l'évêque et du guerrier ne seraient alors que la traduction de la valeur préfigurative de Moïse dans la loi chrétienne d'un peuple tel que le peuple catalan qui, après ses victoires sur les ennemis du Christ, les Sarrasins, reconnaît ses chefs dans l'Église représentée par l'évêque, et dans le pouvoir civil représenté par le prince.

Le registre inférieur de la base, bordé en haut par des grecques et en bas par un tore avec des gravures hélicoïdales, renferme des figures d'animaux qui, au milieu, acquièrent une valeur de figures presque indépendantes, traitées qu'elles sont en ronde-bosse. Leur signification est passée inaperçue; elles illustrent pourtant les deux visions apocalyptiques de Daniel qui sont à l'origine du sens de l'ordonnance graphique du portail. Le panneau de droite avec la représentation de quatre animaux fait allusion à la première vision (Dan. 7) qui expose l'apparition de quatre bêtes, et leur jugement devant le trône du Seigneur, entouré des saints, qui adjuge au Christ le royaume glorieux et éternel, une fois condamnés les réprouvés qui ont été représentés à l'intérieur des médaillons du socle. C'est donc le complément de la vision apocalyptique figurée au registre le plus élevé du portail, comme aussi des registres intermédiaires où l'assistance divine au peuple alors qu'il triomphait de ses ennemis pour parvenir à la terre promise, préfigurait le règne messianique. Le panneau de gauche où se peut voir le combat entre les deux bêtes fait allusion à la seconde vision (Dan. 8) qui décrit la lutte entre le mouton et le bouc; ce dernier, vainqueur, défie Dieu en profanant le lieu du sacrifice expiatoire; un ange à figure humaine découvre la vision au prophète et lui montre le prince cruel dans le cavalier, figure de l'antéchrist. Ceci est la continuation de la vision précédente placée sous le trône éternel, ainsi que la base des scènes retenues aux registres supérieurs dans lesquelles la marche triomphale de l'Arche reprise et l'érection de l'autel étaient axées sur la race de David et de Salomon dont le Christ formera la descendance pour établir son règne spirituel sur le monde. Dans cette partie, le socle du portail est orné de deux serpentins entrelacés qui forment des médaillons composant des figures d'animaux fantastiques, de griffons et de lions, semblables à ceux représentés dans d'autres frises du même portail, et qui se continuent sur le mur latéral à l'intérieur des ovales formés par les entrelacs. Par contre, sur le socle situé de l'autre côté, les ornements sont constitués par cinq médaillons reproduisant des scènes de torture de damnés qui viennent ainsi compléter la vision de Daniel. Ces cinq médaillons se poursuivent sur le côté par un sixième, placé au-dessous de quatre autres dans lesquels se développe de bas en haut, la parabole du mauvais riche. On voit successivement Lazare poursuivi par les chiens, le riche à table faisant bonne chère, puis ce même riche au lieu de tourment, enfin Lazare accueilli dans le sein d'Abraham.

La signification

Le rythme ordonnateur qui préside à la disposition des sujets a réparti de façon différente l'iconographie qui se développe sur les sept registres du portail et celle qui se trouve sur les sept arcs surmontant la porte. Les thèmes plus variés de ces derniers, indépendants entre eux, répondent mal à la parfaite unité qui, au contraire, relie les figurations bibliques étalées sur les registres du portail lui-même, suivant un thème choisi délibérément et savamment élaboré. A première vue on pourrait croire que l'on a simplement cherché à représenter des scènes tirées de l'Exode et du Livre des Rois et quelques autres de l'Apocalypse,

sans nul autre souci que celui d'une distribution plaisante cherchant à équilibrer de façon heureuse l'ensemble des compositions sur toute la surface. En réalité, à mesure que l'on approfondit et que l'on analyse les aspects de cette distribution, on découvre toujours davantage une idée dans l'ordonnance et le choix des sujets, dans le contenu de ces derniers et dans les rapports établis entre eux. Aussi se voit-on forcé d'admettre la présence d'un critère déterminé au moyen duquel un créateur habile retint des sujets choisis suivant un plan prévu; ce n'est pas en vain non plus s'il sut harmoniser les sens prophétique et historique de la Bible avec les idées plus concrètes inspirées semble-t-il, par le contexte historique dans lequel s'insère l'érection de ce monument, contexte qui, sous une autre optique, rejoignait étroitement ce que les scènes retenues de la Bible enfermaient d'enseignement, dans leur transcendance religieuse. L'artiste qui a conçu le portail a centré toute la partie figurative du frontispice, d'une part sur l'idée dominante de la vision apocalyptique de la majesté du Seigneur entouré du tétramorphe et acclamé par les Vieillards, idée qui domine au registre supérieur, et d'autre part aussi sur l'idée plus délicatement suggérée des deux visions de Daniel, reproduites sur la base. Ainsi a-t-il choisi délibérément les scènes historiques qui, en liaison plus ou moins directe avec chacune de ces visions, conduisaient à la glorification divine. La clé de l'œuvre prend racine dans cette relation intime existant entre la prophétie de Daniel et la vision de saint Jean. C'est elle qui a présidé à la sélection d'une thématique dans laquelle les préfigurations se réalisent dans le centre de la réalité éternelle. La Bible de Ripoll offrait d'abondantes enluminures sur d'autres cycles beaucoup plus courants et plus souvent utilisés. Si le sculpteur du portail a porté son intérêt sur les deux pages extraites, l'une de l'Exode et l'autre des Livres des Rois, et sur elles seules, c'est évidemment qu'elles correspondaient mieux que toute autre au dessein d'ensemble qu'il entendait exprimer.

Mais il semble qu'il faille aller encore plus avant : Par cette expression figurative extraite de l'histoire d'Israël dans laquelle on voit le peuple, sorti de l'esclavage, conduit par la Providence jusqu'à la terre promise, peut-être a-t-on voulu signifier la *reconquête* encouragée par le comte Raimond Berenguer III et terminée aux limites du Cinca, par son fils Raimond Berenguer IV : n'était-elle pas une manière d'incarnation et de réalisation frappante du règne messianique puisque dans les ennemis du Seigneur vaincus on pouvait voir une figure des Sarrasins ? D'autre part, l'exaltation des valeurs sacrées dans les scènes du transfert de l'Arche et de la race royale de David, choisies comme préfigurations du règne spirituel du Christ, n'amplifiait-elle pas et ne complétait-elle pas encore davantage cette même incorporation à ce même règne, d'un peuple qui venait enfin d'atteindre à sa grandeur totale sous le signe du triomphe du Seigneur, au terme d'une lutte séculaire ?

L'école historique de Ripoll au moment précis où elle recueille les faits des Comtes, les *Gesta Comitum* et où elle glorifie ces deux comtes, comme le fait d'ailleurs au même instant l'école poétique, lors de la réception de leurs dépouilles, vit intensément les prouesses des seigneurs sous lesquels s'achève la période comtale qui s'était ouverte plus de trois siècles auparavant avec Guifred, fondateur du monastère. La culture monastique, imprégnée de théologie biblique, semble avoir voulu célébrer ce fait historique lorsque à son apogée, elle suscite et inspire l'érection de ce portail monumental où se révèle l'esprit d'un peuple qui vient dresser en quelque sorte l'arc de triomphe de la reconquête.

La date

La croyance que la basilique de Ripoll avait été construite intégralement par Oliba, fit attribuer également à cet abbé la construction du portail. L'idée a été partagée par Pijoan lui-même devant la ressemblance étroite des sujets des reliefs avec les enluminures de la Bible de Ripoll. Mais bien que cela puisse lui donner un caractère plus archaïque, spécialement dans le frontispice, l'examen minutieux de la sculpture dans ses caractéristiques les plus accusées de lignes et de composition, dans le mode de stylisation des plis, dans l'habillement des figures, dans l'emploi des ornements et dans la technique des armes, fixe la réalisation de cette œuvre vers le milieu du XIIᵉ siècle. Les reliefs du sarcophage de Raimond Berenguer III, réalisés on ne sait pas au juste combien de temps après sa mort survenue en 1131, déterminent aussi le moment où furent présents à Ripoll les sculpteurs qui commencèrent le portail du temps de Raimond Berenguer IV, sans doute immédiatement après les conquêtes ultimes de Lérida et de Tortosa, en 1149, faits qui pourraient être à l'origine du plan iconographique et de la composition générale de ce portail.

Valeur artistique

Ce portail réalisé durant l'une des périodes où la sculpture acquit son expression efficace se situe dans la catégorie des chefs-d'œuvre. La tradition des ateliers roussillonnais pénètre dans la zone de l'architecture nue et sans décor pour susciter à Ripoll une école de sculpture qui rayonne ensuite sur une bonne partie du pays central. La technique de cette école obéit à la discipline imposée par la forte personnalité d'un maître ou d'un atelier qui l'applique avec une extrême rigueur. L'unité de formes qui préside au choix des thèmes se retrouve dans l'uniformité de l'interprétation et dans l'élaboration, richement nuancée, des éléments-types de composition, mettant à profit jusqu'aux valeurs plastiques propres aux enluminures pour les soumettre aux nécessités de l'action et du mouvement. L'artiste ne se laisse intimider ni par le haut-relief, ni même par les sculptures presque en ronde-bosse qui prédominent dans les grandes frises, dans les animaux de la base et dans les figures de saint Pierre et saint Paul. Les détails soignés des ornements et des plis des vêtements contrastent avec les habits plats que l'on remarque à peine sur les ondulations qui modèlent les corps des figures. La détérioration dont la plus grande partie du portail a souffert, empêche malheureusement d'apprécier comme elles le mériteraient, les valeurs subtiles que le ciseau sut donner à cette surface, aujourd'hui corrodée, mais qui, discernable encore en certains points mieux conservés, fait notre admiration (pl. 99).

DIMENSIONS DE RIPOLL

Largeur totale du portail : 11 m 60.

Épaisseur du portail : 1 m.

Hauteur totale du portail : 7 m 65.

Hauteur du socle : 0 m 66.

Largeur des parties situées de chaque côté de la porte centrale : 3 m.

Hauteur de la base (du sol aux registres supérieurs): 2 m 91.

Hauteur de chacun des registres supérieurs : 0 m 88.

Hauteur de la frise supérieure : 1 m 44.

Largeur de la porte centrale : 5 m 40.

Hauteur de la porte centrale : 5 m 55.

Largeur de la porte centrale, à l'intérieur, vers la nef de l'église : 2 m 54.

Hauteur de la porte centrale, à l'intérieur, vers la nef de l'église : 4

La iglesia de Montbui se eleva en la cima de una sierra en territorio despoblado desde la invasión árabe del año 714 que no empezó a repoblarse hasta 970. Bajo el dominio de los obispos de Vich comenzose a erigir la torre de defensa después de la invasión de Almanzor en 987 y al mismo tiempo una iglesia, quedando seguramente ambas obras sin concluir desde la terrible sequía que tres años más tarde obligó a la emigración total de los habitantes.

La nueva repoblación, organizada hacia 1023, fué encomendada por el obispo Oliba al levita Guillermo quien concluyó la torre y la iglesia, dejando un legado testamentario en 1035 para la dedicación de ésta, que él ya no pudo ver puesto que murió en esta fecha en una refriega con los árabes. Desde entonces la iglesia adquirió el carácter de una parroquia rural que mantuvo hasta 1614, año en que ésta se desplazo al núcleo de habitación formado al pie del monte. Emancipada del uso ordinario de la feligresía se salvó de ulteriores transformaciones, sin más añadidura que la de una pequeña capilla abierta al externo del muro septentrional y de los revoques interiores que deturparon su estructura.

Las dos épocas que intervinieron en su constitución marcan dos conceptos distintos a la distancia de pocos decenios; los precisos para acusar una modalidad de la arquitectura anterior al año mil, a la que pertenece gran parte del cuerpo del edificio erigido en 987, y la penetración del estilo lombardo que se manifiesta en la añadidura de los ábsides sustituyendo el santuario primitivo en 1035. En su conjunto exterior la iglesia forma un bloque rectangular con cubierta a dos pendientes de la que emerge un simple campanario de espadaña en doble arco sobre el muro de poniente y tres ábsides que sobresalen hacia levante. Construida en pequeños bloques de piedra rústica, se distingue la estructura sobrepuesta por el empleo de los de tamaño más reducido en las añadiduras de los ábsides y de la prolongación final de las naves y en las hiladas altas de los muros externos.

La parte órganica primitiva responde al tipo basilical de tres naves divididas por columnas, formadas éstas por tres piezas cilíndricas apoyadas sobre bases y surmontadas por rústicos capiteles de bloques lisos con ángulos redondeados. Con el intermedio de un ábaco se elevan los arcos en ligera herradura de los que se originan las bóvedas que cubren las tres naves en sec-

ción de herradura. El tramo anterior al santuario ofre las bóvedas algo más bajas sobre los arcos que termina en medias columnas, no pudiéndose precisar el desa rollo adquirido por el primitivo santuario que fu sustituido por los ábsides. En cambio, al otro extrem de la iglesia, dos pilares macizos denuncian una recon trucción con los arcos más reducidos y las bóved resueltas en medio punto, realizada en el segund período junto con la obra de los ábsides. Las tres pequ ñas ventanas en cada uno de éstos se resuelven a dob derrame, como en las tres abiertas en el muro meridiona En conjunto ofrece un tipo arquitectónico con aplic ción plenaria de la bóveda que se dará pocos años m tarde en la iglesia inferior del Canigó en el Rosellò pero en el que predomina todavía el arco de herradur

En el segundo período, debido a su restauració después del abandono y también al cambio de concep litúrgico del santuario, la cabecera fué amputad añadiéndose los ábsides correspondientes a cada u de las naves. Los tres se producen a una misma altur lisos al interior y decorados externamente con l resaltes típicos formados por arcuaciones divididas p lesenas.

El edificio, emocionante en su simplicidad de línea es el resultado de dos corrientes artísticas que en él interfieren y complementan para solucionar desde d momentos distintos un mismo problema de simp funcionalidad.

El castillo de Cardona, ocupado en 798 por la presión
~anca y repoblado en 879, no obtuvo perfecta estabi-
~dad hasta que, en 986, quedó restablecida la frontera
~e fortificaciones contra los árabes. En este momento
~é adjudicado por el conde de Barcelona al vizconde
~e Ausona, Ermemiro, y se restauró la iglesia de San
~icente erigida en las etapas anteriores. Un descendiente
~e este último, Bremundo, aconsejado por el obispo
~liba, rehizo el patrimonio en 1019 aumentándolo con
~tros bienes al fin de dotar una comunidad canonical
~residida por un abad. Perfeccionó su obra empren-
~iendo la construcción de una nueva iglesia, pero la
~uerte le sorprendió, a últimos de 1029, cuando apenas
~abía iniciado los cimientos. La realización pasó a su
~ucesor y hermano, el vizconde Eribal, obispo también
~e Urgel desde 1035, quien la llevó a término para
~onsagrarla dos meses antes de morir en 1040. El ceno-
~io canonical quedó sujeto a la regla de San Agustín
~acia 1083 y perduró hasta la secularización de 1592,
~educido a una colegiata que fué suprimida en 1851.
~a iglesia, absorbida por la posición estratégica del
~astillo, había sido desafectada en 1794 con destino a
~uartel de tropas y almacenes mediante la construcción
~e pisos sobrepuestos y tabiques que, recientemente
~erribados, permiten la restauración de un monumento
~ntegro admirable por su estructura modélica y perfecta.

La mole románica emerge al extremo oriental de la
~olina encastillada erizada de baluartes entre dos líneas
~e defensa. Se extiende en plan basilical de tres naves
~ortadas por un crucero dotado de cúpula y rematado
~n tres ábsides, con el central elevado sobre una cripta.
~as naves van divididas por dos hileras de tres pilares
~ruciformes con resaltes que elevan las altas bóvedas
~e cañón en la central y las triples bóvedas por aristas
~n cada tramo de las colaterales, por debajo de la línea
~e ventanas que ilumina la central. El crucero resuelto
~on bóvedas semicirculares en los extremos que sobre-
~alen poco del plan de las naves, sostiene la cúpula
~esarrollada en octógono sobre trompas. El ábside
~entral va precedido por un espacio rectangular en el
~lano al que se sube mediante dos escaleras ladeando
~a central de descenso a la cripta inferior. Los muros
~e este ámbito ofrecen a cada lado dos hornacinas que
~uego se repiten en el circuito del ábside, conjugándose
~on las ventanas. La cripta, semejante a la coétanea de
~a Catedral de Vich, se divide en tres naves separadas
~or dos hileras de cinco columnas rematadas por rús-
~icos bloques tallados para dar el paso al arranque de
~s elevados arcos y aristas que recaen sobre los muros
~n resaltes apoyados sobre una banqueta a fin de formar
~a cubierta en bóvedas por aristas. El ingreso al templo
~iene formado por un atrio de tres tramos abovedados
~or aristas, en cuyos extremos se desarrollaron las
~scaleras helicoidales dentro de las torres desapare-
~idas que subirían al tejado. El piso superior de este
atrio forma la galería incorporada al fondo de la nave
central. El aspecto exterior está deformado en las partes
altas por construcciones sobrepuestas a las naves colaterales que afean el cimborio y ahogan las paredes altas
de la nave central. En la zona baja de los muros laterales
reforzados con rudimentarios contrafuertes aparece la
profusa decoración de dobles arcuaciones entre lesenas
que se extienden al crucero y revisten los ábsides. Como
en Cassérres y Ripoll figuran las ventanas ciegas dentro
las arcuaciones del ábside central desparramándose
hacia las inmediaciones de las paredes del crucero. La
estructura de la obra responde a un plan premeditado y
logrado con absoluto dominio en el equilibrio de las
proporciones. Pocas obras como esta superan la evolu-
ción de las formas basilicales, ni ofrecen una tal riqueza
de elementos que tuvieron su profunda repercusión en
la difusión del estilo, por lo que esta iglesia puede pre-
sentarse como el modelo más acabado que caracteriza
una época.

Indice de Ilustraciones

La fortaleza, erigida en la elevada punta del largo promontorio rodeado por el Ter, fué ocupada militarmente por mandato de Ludovico Pio en 798. Su consolidación empero no quedó afirmada hasta la repoblación del pais efectuada en 879, acompañada de una iglesia dedicada a San Pedro. Hallándose medio derruida en 1006 la vizcondesa de Ausona, Ermetruit, se propuso reedificarla recabando para ello el dominio del terreno que le fué cedido por el conde Ramón Borrell de Barcelona. Su propósito era establecer un cenobio que ya consta estar formado en 1002, aun cuando la obra de la iglesia vino a recaer sobre su nuera Enguncia quien pudo verla ya casi acabada en 1029 cuando dispuso ser sepultada en ella. Mientras el tronco de la casa vizcondal hacia erigir esta iglesia, los hijos de Enguncia, Bremundo y luego Eribal, levantaban la de Cardona. A su lado se ordenó el edificio monástico que quedó sujeto al Cluny hacia 1080 como un priorato que solo disminuyó de importancia en el siglo XV después que los terremotos de 1427 perjudicaron los edificios, obligando a serias restauraciones y al abandono de la nave del evangelio cuya bóveda quedó derrumbada. La vida precaria del cenobio terminó con el decreto de extinción de 1572, pasando entonces a los jesuitas de Belén de Barcelona que lo poseyeron hasta el extrañamiento de 1767, fecha que señala el pasaje a la propiedad particular y el abandono total desde el siglo pasado acentuando las ruinas entorno a la mole descarnada de la iglesia.

Nada impresiona tanto como su grandiosidad que solo se aprecia en el interior del plan basilical reducido a un cuadrado dividido no más por dos macizos pilares cruciformes que recogen los dos grandes arcos que separan las naves y apoyan los formeros que cruzan aquellas por la mitad. La cubierta de bóvedas paralelas en cañon semicircular queda solo más rebajada en las colaterales para acusar la doble vertiente del tejado. El pavimento formado por la roca desnuda en declive se eleva en la cabecera rematada en tres ábsides, con el central precedido por un presbiterio rectangular. La estructura del conjunto se funde en una sola masa sin interrupción alguna desde el arranque de los muros sin apartarse de la rígida severidad de unas formas que dejan todo al resultado de las incurvaciones en bóvedas y ábsides bajo la luz tamizada por escasas ventanas. El exterior, de paredes absolutamente lisas, no admite tampoco ningún resalte decorativo que solo queda reservado a las arcuaciones entre lesenas que ciñen los ábsides y e cuerpo que precede al central en el que no falta l galería de ventanas ciegas enmarcada por las arcuacione bajo una simple cornisa en dientes de sierra. La torre d campanario apoyada al muro meridional tiene el cuerp inferior cubierto con bóveda en rincón de claustro d planta octogonal, mientras el superior se cubre co bóveda del mismo tipo sobre plan cuadrado bajo pirámide de la cubierta con dos ventanas dentro d paramento de cada cara.

El claustro recompuesto y simplificado después de terremoto de 1427 conserva indicios de la disposició primitiva en la columna surmontada de capitel que s halla embebida dentro del pilar angular frente a puerta de la iglesia. Lógicamente da a pensar que co ella se coordinarian otras semejantes a las que habria pertenecido los capiteles procedentes de este mont mento, conservados en el Museo Episcopal de Vic que quizá provendrían de la obra ruinosa en 100 Alrededor del claustro apenas son identificables l dependencias monásticas, ruinosas en su mayoría.

Sant Llorenç del Munt

Según la tradición, el monasterio de San Lorenzo tendría sus inicios en la alta soledad de la montaña a raiz de la dispersión motivada por la invasión árabe de 714. El asilo ofrecido por las cuevas y recodos del monte habría fijado una permanencia fomentada por monjes que cristalizó en el cenobio cuya iglesia consta en 947. La documentación posterior lo presenta como fundado por el conde de Barcelona en uno de sus dominios con personal procedente del monasterio de San Cugat del Vallès y sujeto a este. A principios del siglo XI se emancipó adquiriendo cierta preponderancia permitiendo erigir una iglesia de mayor mole. Esta fué obra del abad Odegario, consagrada en 1064, en el primer año de su sucesor Berengario. Los trastornos originados en la vida monástica por el célebre Frotardo, abad de Tomieres, desde 1087, condujeron a una nueva sujeción del cenobio al monasterio de San Cugat por decisión condal confirmada por Urbano II en 1098. Perdida la independencia se menoscabó su importancia reduciéndose cada vez más al número de residentes, sobre todo a la muerte del último abad comandatario en 1608. La aspereza del lugar impidió siempre que se revitalizase un centro ya casi abandonado que se extinguió en 1804, arrastrando los edificios a la ruina detenida en la iglesia desde 1868 para permitir su moderna restauración.

La austera simplicidad de la mole constructiva se destaca del resto de las pocas construcciones adheridas por la homogeneidad de la estructura de las paredes lisas, formadas con piedra cortada del monte, que acusan un edificio de tres naves con la central algo sobre levada por encima del techo de las colaterales, del que brotan los tres ábsides y el octógono del cimborio. Quedan indicios del pórtico anterior al muro occidental rematado en espadaña sobre añadida en el que se abre la puerta de ingreso con dintel extendido bajo arco adovelado exactamente como en la puerta meridional de paso al cenobio. Una tercera puerta abierta en el muro opuesto con posterioridad comunicaba con el cementerio.

La distribución orgánica interior, más que a una forma basilical pura, parece obedecer a un plan cruciforme a cúpula pero ampliado a una superficie rectangular mediante la incorporación de los espacios remanentes entre los brazos, resultando de ello las tres naves con solo prolongarlas en otro tramo. Así se explica que la cúpula se desplace hacia la parte media de la iglesia a la manera de ciertos ejemplos orientales. Las naves quedan divididas por arcos extendidos sobre pilares rectangulares que solo se cortan por los torales en el tramo transversal exigidos por el apoyo de la cúpula elevada sobre trompas. Las bóvedas de cañón se entrecruzan en la formación de la base cupolar derivadas de los mismos muros. Una ligera convergencia de las naves hacia la cabecera encarece la emotividad visual en torno al santuario. En este se producen los ábsides en correspondencia con el fondo de cada nave, con una sola ventana y lisos al interior menos el central que admite dos hornacinas vaciadas en el muro. Con este detalle la obra se vincula más estrechamente a las características de otras iglesias del mismo período, de las que reproduce asimismo las dobles arcuaciones divididas por lesenas en el externo de los ábsides. En la expresión del conjunto el resultado arquitectónico afirma la varia adaptabilidad de recursos de los que se valieron los constructores aun dentro de los métodos rústicos impuestos por la economía.

261

Aislada en un repecho entre las pendientes de una amplia cañada, la iglesia se eleva a cierta distancia del castillo y de la actual población de Corbera. Nada se sabe de sus orígenes ni de su historia fuera de que contuvo un priorato benedictino en dependencia del Cluny y sujeto al monasterio de Cassérres, regido en el siglo XVI por priores que lo tuvieron en comenda poco antes de su supresión al ser unidas las rentas que lo sostenían al Colegio benedictino establecido en Lérida. Reducida la iglesia a la categoría de simple sufragánea de la parroquia de Corbera, pudo evitar las transformaciones que se introdujeron en la mayoría de edificios religiosos desde el siglo XVII, logrando conservar la integridad de la estructura que una concienzuda restauración devuelve a su carácter primitivo.

La iglesia de San Poncio es un alarde constructivo que requirió la presencia de canteros y maestros hábiles en el dominio de una obra que se sitúa entre las más acabadas del estilo. Se erigió el plan de una nave con crucero y tres ábsides, surmontado por una cúpula a la base de un campanario, realizado sin vacilaciones para lograr una síntesis perfecta en la fusión de los elementos en juego. Las bóvedas semicirculares se extendieron paralelas; en la nave central señaladas por una linea de pequeños bloques a manera de cornisa sobre los muros adelgazados a expensas de los arcos formeros que se conjugan con los arcos torales de refuerzo; en el crucero con el cañon seguido formando un ámbito ante la apertura de cada ábside. Lisas y con una sola ventana las absidiolas contrastan con el ábside central resuelto en tres hornacinas vaciadas en el muro por debajo de la linea de las tres ventanas. La manera de impostar la cúpula, de forma casi esférica, consiste en que no se deriva del arranque de los arcos laterales del crucero, sino de dos otros interiores paralelos a ellos en cuyos muros de carga se desarrollan las trompas cónicas que transforman el cuadrado de la base. Esta solución parece obedecer al mantenimiento del ritmo de las arcuaciones que se extienden por las paredes laterales de la nave. Para realzar más este punto se dió forma redondeada, como de medias columnas, a los pilares de los arcos formeros del crucero con un resalte que se amortigua en el origen de los arcos. En una de las hornacinas y en una ventana del ábside central quedan restos de la decoración mural que vibraría a la luminosidad de las ventanas en doble derrame abiertas en cada uno de los paramentos sobre los arcos centrales que soportan la cúpula, en los del transepto y de la nave y en las de la fachada, además de la ventana geminada partida por una columna en lo alto de esta última y del tragaluz de forma crucífera sito en el fondo de cada brazo del crucero. Son tres las puertas en arco

adintelado; una en la fachada, otra en el muro meridional del crucero y la tercera en el tercer tramo de l pared septentrional.

El exterior acusa las dobles vertientes del tejado e el cuerpo que precede los ábsides y en el más elevad del crucero y de la nave. El cimborio se simplifica e un bloque rectangular de paredes lisas con tejado pira midal que soporta un campanario de dos pisos con un sola ventana en cada cara del inferior y dos geminada partidas por columnas en el superior. El recinto extern de los muros laterales se adorna con las fajas verticale de las lesenas reunidas superiormente por dobles arcua ciones que se amplian a cinco en la fachada por u cambio a mitad de obra que truncó la lesena central fin de abrir en lo alto la ventana geminada. En lo ábsides el adorno se ensancha a una sola arcuació que crece más amplia en las absidiolas y se derrama los lados inmediatos a estas. En su conjunto la estruc tura recoge la mejor tradición de la corriente derivad de Cardona para llevarla a un progreso que supor la difusión del estilo a multitud de obras que se ejecu taban todavía a fines del siglo XI.

Frontanyà

El lugar de Frontanyà, en los confines entre el Ripollés y el Lluçanés, fué de los últimos organizados, bajo el punto de vista religioso, después de la repoblación iniciada en 878 con una iglesia consagrada a San Jaime en 905. Desde ella irradió la primacía hacía las demás que se fueron levantando, respondiendo a un núcleo residencial de clérigos que motivaría su transformación en canónica agustiniana a fines del siglo XI y la construcción de la iglesia. El legado testamentario destinado a la obra, en 1074, por el castellano de Lluça Folc Seniofred, hermano del obispo de Vich Berenguer adalid de la reforma agustiniana, puede indicar el momento de la construcción. Falta la documentación que permita trazar la historia de este priorato canonical subsistente hasta la supresión general de 1592 y reducido desde entonces a una escasa comunidad de clérigos más bien adscritos al servicio de la parroquia rural. La lánguida vida de ésta en las edades posteriores contribuyó a que el monumento se conservara casi en su total integridad sin otra pérdida que la del edificio claustral.

La iglesia sorprende por la unidad de plan y magnífica estructura con los tres ábsides abiertos a un crucero ante una sola nave a la base de un cimborio, sin otra añadidura que la doble espadaña sobrepuesta al hastial de la fachada. La regularidad de los pequeños bloques escuadrados se rompe en las partes prominentes constituidas por la cabecera, el cimborio y la fachada. Las arcuaciones y los arcos ciegos fistonean bajo los aleros de las cubiertas sintetizando el punto de arranque interno de las bóvedas. En las doce caras del cimborio cubierto a pirámide destacan las ventanas ciegas dentro de una galeria de menudos arcos. En el muro del tambor que recae sobre el ábside se insinuan tres grandes arcuaciones, enmarcando una ventana, ladeadas por cinco arcuaciones entre lesenas. Es el mismo ritmo decorativo que circuye el externo del ábside, mientras en las absidiolas discurren las arcuaciones sin divisiones haciendo resaltar la única ventana central. Idéntico movimiento se produce en la pared de la fachada en un tríptico decorativo de arcuaciones en torno a la puerta constituida con doble arco simple en degradación y sin dintel, y de la ventana cruciforme que remata el paramento central donde posteriormente se abrió el ventanal circular.

El interior del edificio responde a la esbeltez de proporciones de una obra premeditada y realizada con dominio. La única nave se divide en dos tramos por un arco toral y se cubre con bóveda de cañón, igual que en los brazos del crucero que se interseccionan con ella, para originar la cúpula con bóveda de ocho pañós cilíndricos sobre trompas cónicas. Los ábsides enmarcados por arcos de apertura son completamente lisos en los colaterales y rodeado por cinco hornacinas en el central delimitadas por arcuaciones que brotan sobre medias columnas a través de una apariencia de capitel.

La neta percepción de las curvas de arcos y bóvedas sobre la extensión rectilinea de las paredes, no queda alterada por ningún elemento ajeno a la función arquitectónica que se expresa en su majestuosa severidad bajo la luz de las escasas ventanas a doble derrame distribuidas en los extremos del crucero; dos en el muro meridional y una bajo la cúpula en la pared sobre el ábside central, además de la que figura en el centro de cada ábside. Fuera de la puerta principal existen, actualmente tapiadas, otras tres puertas; una a cada brazo del crucero frente a las absidiolas y otra en la pared meridional, resueltas en forma de simples arcos adintelados.

Consta que la iglesia estaba en obra en 1074 con posterioridad de un decenio a la construcción de San Lorenzo del Munt, consagrada en 1064, con la que caben analogías de factura mural, y más próxima a la de San Martín Sescorts, consagrada en 1068, de la que parece una réplica en varios aspectos aunque mucho más perfecta y desarrollada. Ha sido aludida la semejanza que ofrece con la iglesia italiana de Santa María de Portonovo.

Indice de Ilustraciones

263

Las iglesias de San Clemente y de Santa María de Taüll fueron consagradas el 10 y 12 de diciembre de 1123 por Ramón, obispo de Barbastro, en el valle de Boi perteneciente entonces al dominio señorial de Erill, en el condado de Pallars. Su obra fué efecto del resultado económico que reportó a los valles pirenaicos la participación en las conquistas efectuadas por el rey de Aragón, Alfonso el Batallador, por las riberas del Ebro.

Ambas iglesias responden a un mismo tipo arquitectónico de plan basilical a tres naves cubiertas con armaduras de madera y rematadas por tres ábsides. La estructura de las naves, sin otras aperturas que la puerta meridional de ingreso, responden a un método rústico de paredes lisas que les dan un aspecto de cobertizo bajo el embigado que sostiene el techo a dos pendientes con placas de pizarra. El interior va dividido por parte mediante tres columnas cilíndricas hechas con pequeños bloques tallados, adornadas superiormente por collarines en dientes de engranaje, desprovistas de capitel y surmontadas por un ligero ábaco que da el arranque de los arcos divisorios de las naves. La cabecera, de obra un poco más cuidada con los ábsides lisos al interior, admite en su parte externa las arquerías a doble resalte talladas en un solo bloque y separadas en grupos por medias columnas, además de un friso en dientes de engranaje bajo la linea de la cubierta. Sólo el ábside central va precedido por un ancho arco que acusa su cuerpo al externo. La iluminación queda concentrada en la ventana central de cada ábside, además de otra sobre cada absidiola y en las aperturas circulares situadas una sobre el ábside central y otras dos en los muros del mismo ábside. La torre del campanario, aislada en San Clemente e inmergida dentro de la nave meridional en Santa María, ofrece la forma típica de recuadros que enmarcan ventanales geminados bajo arquerías en cada una de las caras y pisos, subrayados éstos por frisos en dientes de engranaje siguiendo el aspecto de los campanarios italianos de los que remedan las aplicaciones de notas de color en la pintura en rojo de las arquerías.

La singularidad del tipo arquitectónico de Taull, que se reproduce en otras iglesias de los inmediatos valles pirenaicos, más que por la reminiscencia de un modelo superado por la intensa efloración de la arquitectura catalana en el período inmediatamente anterior, se explica por la importación de una estructura que contemporáneamente se prodiga en las regiones de Verona y Mantua, donde el tipo basilical tuvo mayor perdurabilidad en combinación con lo lombardo y en la que los campanarios han precisado su forma esbelta definitiva. La trashumancia de los artistas pudo fijar este tipo en Taull con constructores que formaron

parte del grupo de pintores que decoraron sus iglesias llamados por los próceres del país en una euforia de renovación.

Ambas iglesias fueron totalmente decoradas sobre el revoque que revistió el interior de los ábsides, muros y columnas. Pero esta decoración no fué obra de un solo artista, como se puede juzgar por las partes conservadas redimidas de sus muros y expuestas en el Museo de Arte de Barcelona. Dos pintores diversos, aunque del mismo grupo, realizaron respectivamente la decoración del ábside central de San Clemente y de Santa María. El resto del decorado interior fué acometido por un pintor distinto de ellos.

La parte más relevante se halla en el ábside de San Clemente. Constituye la obra cumbre de la pintura mural románica en Cataluña por la intensidad de colorido límpido que un artista desplegó al servicio de una personalidad destacada que, sin salirse de los rasgos característicos impuestos por el canon iconográfico de inspiración bizantina, les imprimió una profunda vitalidad humana que estalla en ímpetus de grandeza. La visión del Pantrocrator es de una majestad sorprendente entre los ángeles que ofrecen los símbolos de los evangelistas. Los apóstoles, en los pórticos de la zona inferior, acompañan en su serena transfiguración la imagen extática de la Virgen con la fiala luminosa en la mano. El Cordero de los siete ojos y sobre todo la mano divina bendiciendo, dentro de los medallones de los arcos, destacan por su lenguaje realista muy por encima de las figuras de Jacob y de Lázaro que han quedado entre los restos de la decoración inferior.

El pintor del ábside central de la iglesia de Santa María carece de la genialidad del anterior, aunque en la ejecución de su obra acusa un dominio perfecto en el trazado impuesto por el canon estilístico y se mantiene en una entonación nítida de color. La decoración abarca el semicírculo del ábside y se extiende a través del arco triunfal por las paredes de los lados en dos zonas separadas por orlas y rematadas inferiormente por una franja de medallones con figuras de animales de la que penden los pliegues de un rico cortinaje. La Epifanía centra la composición de la superior con los Magos al lado de la aureola que sirve de fondo al solio de la figura sentada de la Virgen Madre con Jesús en su regazo. En la zona inferior sigue la teoría de los apóstoles dentro de un pórtico. El arco triunfal lleva como clave el Agnus Dei entre las ofrendas de Abel y la desaparecida de Melquisedec sobre la zona que proseguiría la hilera del apostolado. Los símbolos de los evangelistas se reparten dos a cada lado de la pared frontal en figuras de ángeles con cabezas de los símbolos, separados por un querubín y seguidos por la representación de San Gabriel y de San Rafael inmerliatas a las aperturas del arco, aunque de toda esta composición sólo se conserva la mitad de una parte sobre la zona que prosigue la hilera de santos por encima de la franja con el cortinaje pendiente.

Los dos principales decoradores abandonaron Taull reclamados quizá por otros encargos. El pintor de San Clemente es constatado en la decoración de una absidiola en la iglesia de Roda. El de Santa María se hace presente decorando Berlanga y Mad>eruelo, dominios del rey de Aragón en Castilla.

La decoración de los muros interiores fué realizada por un tercer pintor ni de tanto empuje como los anteriores, mucho menos preparado que ellos y restringido a los colores clásicos, que suplió su deficiencia con una extraordinaria osadía al servicio de una imaginación sorprendente. Su obra ha quedado reducida en San Clemente a una absidiola con figuras de ángeles. En cambio en Santa María se han conservado extensos fragmentos murales que dan a comprender el ritmo distributivo de la decoración interior en dos zonas aisladas por orlas sobre cortinaje terminal, cuyo campo está formado por anchas franjas en que alternan rojos y ocres como fondo de los temas. Estos comprenden escenas alusivas a la leyenda de San Clemente sobre el muro meridional y en la parte baja, encuadradas en pórticos, las figuras de la Adoración de los Magos y de la historia de Zacarías. La lucha de David y Goliat en la pared terminal de la nave de la epístola. La composición del Juicio final sobre el muro de poniente con una fantástica representación de las torturas de los condenados en el muro septentrional. Figuras de profetas en el intradós de los arcos de división de las naves y temas de pájaros y animales en los espacios altos bajo las pendientes de la cubierta.

Con los constructores y pintores hay que asociar en Taull la presencia de los tallistas que, en las iglesias del valle de Boi, legaron especialmente sus grupos de figuras de los Descendimientos de la Cruz, del que sólo se conservan algunas procedentes de San Clemente, así como el antipendio con los apóstoles en relieve y sobre todo, a notar por su curiosa rareza, el banco adoselado con gran profusión de entalles que constituye un ejemplar extraordinario del mobiliario de la época.

Indice de Ilustraciones

El monasterio de Ripoll, fundado en 879 por el conde Wifredo el Velloso, tuvo una primera iglesia consagrada en 888, que fué sustituída por otra en 935 y por una tercera consagrada en 977. Esta última dió por resultado una basílica de cinco naves con cubiertas de madera que quedó definitivamente ampliada en 1032 con la añadidura de un transepto abovedado dotado de siete ábsides y cripta central y una prolongación delantera con dos elevadas torres. El arte lombardo dejó sus características en los resaltes de arcuaciones entre lesenas y de ventanas ciegas que decoran el exterior de los muros sobrepuestos a la obra del edificio anterior. La realización impulsada por el abad Oliba vino a cerrar el período de mayor prestigio del cenobio en que los descendientes de los fundadores, condes de Cerdanya y Besalú, se emularon al superarse para favorecerlo.

Desde 1070 a 1179 pasó a quedar sujeto al monasterio de San Victor de Marsella. El intercambio de personal monástico y la nueva corriente introducida impusieron modificaciones en la basílica que vió sustituido por bóvedas el maderamen de la cubierta de las naves primitivas y asimismo la erección de la famosa portada. La renovación de las dependencias monásticas, realizada en distintos tiempos a tenor de las necesidades, adquirió un carácter determinado cuando, en el último cuarto del siglo XII, fué iniciada la obra de los claustros en los trece arcos de la galería inmediata a la basílica en la que abundan capiteles, ábacos y arcos cincelados con figuraciones y follajes. Esta galería no fué empero proseguida hasta el pleno dominio del período gótico, cuando en 1380 se le sobrepuso otra superior y se construyeron las tres restantes del claustro inferior terminadas en 1401, sobre las que no se edificaron las demás del superior hasta un siglo más tarde. En todas ellas prevaleció el modelo de la galería románica copiada en su estructura de arcos sobre columnas dobles, que en el claustro superior se reducen a una sola, lo que les da un mayor resabio de antigüedad.

Derribadas las bóvedas de la basílica por un terremoto en 1428, fueron sustituidas por otras en crucería de nervios unidos por claves. Desapareció la cripta y transformado el interior con un camarín que absorbió el ábside central. Las serias reparaciones que exigía el monumento en 1830 condujeron a reducir a tres naves el área del templo suprimiendo los soportes divisorios existentes entre las colaterales. El incendio de 9 de agosto de 1835, seguido del saqueo del monasterio que acabó con un cenobio milenario, dejó abandonado un edificio insigne que pronto fué víctima de las injurias del tiempo para quedar reducido a un montón de ruinas. La restauración emprendida en 1885, inspirada en los mejores ejemplares de la arquitectura románica y ejecutada con una rectitud que entonces no pudo

comprender los elementos de distintas épocas que integraban el monumento, dió por resultado la reconstrucción, inaugurada en 1893, de la que se salvó la basílica el doble claustro y la magnífica portada.

El significado de Ripoll se cifra en el extraordinario prestigio alcanzado desde sus primeros tiempos como centro de cultura que brilló en la alborada de la civilización occidental por el cruce que en él se produjo entre la corriente racial vitalizada por la contextura cristiana visigoda y reanimada por los influjos del resurgir carolingio y la corriente que las escuelas arabistas habían exhumado en el depósito olvidado de la cultura griega. La biblioteca monástica que llegó a reunir a principios del siglo XI el extraordinario número de 246 manuscritos, abarcó las más varias disciplinas del saber por su rico contenido, además de los libros litúrgicos y de uso monástico, en obras de formación para los estudios de gramática, retórica, filosofía, derecho, historia y ciencias, con los autores que más influyeron en el pensamiento de la edad media desde los clásicos a los eclesiásticos e hispanos. Las relaciones culturales establecidas con otros monasterios favorecieron un incremento tal de obras al que no fué ajena la misma actividad de copistas desplegada en el escritorio manástico que tuvo su máximo auge durante el abadiado de Oliba. Es bien notoria la influencia ejercida desde este momento, con arranque del período anterior, por el predominio de una inquietud intelectual que se manifestó en la intensa producción de manuscritos y en las corrientes de estudios que de ella derivaron. Para el arte interesa la prospección que pudo emanar de los textos con miniaturas como base de una formalización de obras que el románico dejó centradas en torno al núcleo de Ripoll y que actualmente solo puede constatarse en los dos ejemplares de la Biblia, uno en la Biblioteca Vaticana erroneamente atribuido a Farfa y otro procedente del monasterio de Roda, conservado en la Biblioteca Nacional de París, obras de principios del siglo XI salidas del escritorio con abundantes representaciones figuradas.

Lo mejor de la obra artística de Ripoll se halla resumido en la famosa portada que precede el ingreso de la basílica. Concebida a la manera de un arco de triunfo repleto de relieves, se desarrolla en siete zonas paralelas cortadas por el hueco de la puerta resuelto en siete arcos en degradación. En su estructura consta de un zócalo que soporta la base de cada lado enmarcado por ligeras columnas reunidas por una cornisa y el cuerpo central rematado a los extremos por una columna bajo la cornisa que sostiene el gran friso superior a lo largo de toda la parte alta. Todos los elementos de ordenación van profusamente cincelados con adornos de entrelaces y follajes en los que abundan las representaciones de animales.

El ámbito de la puerta se reduce en arquivoltas apoyadas alternativamente sobre columnas y montantes chanflanados. En el centro de la segunda arcada no alta el Agnus Dei entre dos ángeles adoradores. La tercera arcada tiene como soporte las figuras de San Pedro y San Pablo y los recuadros de su superficie se animan con escenas relativas a su vida y muerte. La sexta arcada contiene cinco escenas de la historia de Jonás en correspondencia con otras cinco inspiradas en la historia de Daniel. La septima arcada que enmarca a puerta muestra en el centro el Señor sentado en trono incensado por dos ángeles, entre escenas relativas a la historia de Cain y Abel. En los montantes laterales de esta arcada queda efigiadas las representaciones de los meses del año con temas inspirados de la vida del campo.

En el friso superior que corona el frontispicio predomina la visión apocalíptica con los veinticuatro ancianos coronados, aclamando con sus cítaras y fialas al Omnipotente sentado en el solio de la majestad y adorado por dos ángeles. No faltan las figuras del Tetramorfos a su alrededor con las del toro y del león colocadas en la zonas inferior en que desfila el cortejo de los bienaventurados constituido por los apóstoles y siete vírgenes además de Isaias y San Juan Bautista situados a los extremos de los lados. En las dos zonas inferiores de cada cuerpo central se desarrollan ciclos del Antiguo Testamento que el escultor realizó ante el modelo de las miniaturas de la mencionada Biblia de Ripoll. A la más alta de la derecha, el paso del Mar Rojo, el anuncio de la asistencia divina con los israelitas amotinados ante Moisés y Aarón en presencia de la columna luminosa y del ángel, la lluvia de codornices y el descenso del maná y el prodigio de la fuente brotada de la roca de Horeb. En la zona inferior Aarón y Hur sosteniendo los brazos de Moisés durante la batalla de Josué contra Amalec en Rafidim que se desarrolla al lado con soldados y jinetes en choque. Sigue en la base un pórtico que cobija la figura del Señor dando la ley a Moisés que va acompañado de Aarón además de un obispo y un guerrero, como personificando en estas jerarquías la prefiguración de la escena. En la zona correspondiente al otro lado, dentro de idéntico pórtico, campea la figura del rey David en medio de cuatro músicos que tocan el violín, el címbalo, el cuerno y la siringa, dando inicio a los temas sacados de los libros de los Reyes que empiezan, a la izquierda en la zona de encima, con los músicos acompañando el traslado del Arca a Jerusalén en una escena que recoge el episodio de Oza y la danza del rey presenciada por Micol, a la que siguen los músicos en representación de los siete coros que precedían el traslado. Vienen luego las escenas copiadas también de las miniaturas de la Bíblia con la representación de la ciudad de Jerusalén apestada, el profeta Gad ordenando a David la adquisición de la era de Areuna para edificar el altar al Señor. En la zona superior aparece Betsabé a los pies del rey reclamando el trono para su hijo Salomón, la unción y proclamación de este rey, el juicio entre las dos madres y el sueño de Salomón pidiendo la sabiduría a Dios que se manifiesta majestáticamente dentro de aureola almendrada entre dos ángeles y finalmente el rapto de Elias en el recuadro lateral.

En la parte inferior de la base vienen representadas las visiones pre-apocalípticas de Daniel. A la derecha

la primera referente a las cuatro bestias que alude a la adjudicación del trono a Cristo una vez condenados los réprobos cuyos tormentos se exponen en los medallones del zócalo y se completan al mismo lado con escenas de la parábola de Epulón. Esta visión se coordina con la apocalíptica del friso superior y motiva la selección de las escenas históricas tomadas del Exodo que eran una prefiguración del reino mesiánico. A la izquierda la segunda visión sobre la lucha entre el carnero y el macho cabrío con el ángel en forma humana que da a ver la figura del anticristo que se refiere al establecentomi del reino espiritual de Cristo y motiva las escenas superiores sacadas de los libros de los Reyes con el triunfo del Arca en los reinados de David y Salomón que prefiguran al mismo Cristo.

El ritmo ordenador de los relieves de este conjunto no solo contiene una íntima trabazón de significado en el doble reino de Cristo, mesiánico y espiritual, ante la visión eterna de Dios anunciada por Daniel y completada por el apocalipsis, sino que responde a un concepto elaborado por la erudición bíblica e histórica de Ripoll que pudo intentar una clara alusión a la reconquista consumada por el último conde de Barcelona en 1149 con relación al reine mesiánico una vez vencidos sus enemigos en la cruzada contra los sarracenos, al que se incorporaba espiritualmente un pueblo al alcanzar su plenitud bajo el signo del Señor al fin de una lucha secular.

Con esta fecha significativa concuerda la obra escultórica en sus detalles característicos que acusan un maestro o un grupo uniforme que tiende a los valores plásticos animados de acción sin arredrarse ante el alto relieve y con una cuidada modulación de formas bajo los pliegues decorativos de los ropajes.

267

Montbui

The church of Montbui stands on the summit of a mountain in a region which had been ravaged by the Arab invasion of 714, and whose repopulation was only begun in 970. After the invasion of Almanzor in 987, a church and a defence tower were both begun, under the authority of the bishops of Vich. There two buildings remained unfinished owing to a terrible drought which, three years later, forced the entire population to abandon the place.

Its resettlement was entrusted in about 1023 to the deacon, Guillaume by the bishop of Oliba and he completed the tower and church and planned its consecration in 1035. This he did not live to see since he was killed in a skirmish with the Arabs. From then onwards it functioned as a rural parish church until 1614 when a small township grew up at the foot of the mountain. Henceforth its parochial duties ceased, which resulted in its escape from all later transformations, with the exception of a small chapel built against the northern wall.

Although its two stages of construction were only separated by ten years, they reveal two quite dissimilar concepts, which form a modality between the architectural style in favour prior to the year 1000, to which a large part of the body of the earlier stage belongs, and the penetration of the Lombard influence marked by the addition of absidial chapels which replaced the primitive sanctuary in 1035. From the exterior the church forms a rectangular block with a roof on two levels. A simple gabled bell tower stands on the west wall and three absidials jut out on the east side.

It is built of small blocks of stone and the superimposed structure can be distinguished by the use of still smaller blocks in the added chapels and the final extension of the nave.

The earlier structure follows the typical basilican plan with three naves divided by columns. These are formed of three cylindrical pieces resting on bases and crowned by rustic capitals formed of smooth blocks with rounded edges. The naves are covered by horse-shoe vaults supported by arches resting on the abacus above the capitals. In the space in front of the sanctuary the vaults are a little lower with arches ending in half-columns, and it is difficult to trace the development of the earlier sanctuary which was replaced by the absidials. By contrast, at the other end of the building, two massive pillars mark a reconstruction with lower arches and cradle vaulting which was erected during the second period at the same time as the absidials.

The three small windows in each of the absidials have a double embrasure similar to the three in the southern wall. The architectural treatment of the vaults was copied a few years later in the lower church of Canigou in Roussillon, but with the horse-shoe arch still predominating.

It was owing to the change in the liturgical concept of the sanctuary that the apse was amputated and the absidials added during the second stage of construction.

All three absidials are of equal height, their interiors are smooth and their exteriors decorated with typical arcatures between pilasters.

The building is moving in its simplicity and is the result of two current artistic ideas which here combine and complement each other to produce an ensemble of simple functionality.

List of plates

The castle of Cardona was occupied by the Franks in 798 and repopulated in 879. It did not enjoy any real stability until 986 when the fortified frontier was reestablished against the Arab invaders.

At that date the castle was given to the vicomte d'Ausona by the count of Barcelona and the church of St. Vincent which had been built in various stages was restored. In 1019, on the advice of the bishop Oliba, Bremund, a descendant of the vicomte, reorganised his heritage and endowed a canonical community presided over by an abbot. He also undertook the construction of a new church but death over took him at the end of 1029 when the foundations had scarcely been begun. The realisation of his plan fell to his successor and brother, vicomte Eriball, who completed the church and saw its consecration two months before his own death in 1040. In 1083 the monastery came under the rule of St.Augustine and remained in the order until its secularisation in 1592. It was then reduced to a college and finally suppressed in 1851. The church itself was secularised in 1794, owing to the strategic importance of the castle and was used for barracks and shops. For this purpose stories were added and partitions erected. Their recent demolition has uncovered the complete monument in its original perfect structure.

This Romanesque building stands at the eastern extremity of a fortified hill, bristling with ramparts between two lines of defences. It is built in the basilican style, with three naves crossed by a transept which is surmounted by a cupola and ends in three absidials, of which the centre one is built over a crypt. The naves are divided by two rows of three pillars in the form of a cross with projections which support the high cradle vaults over the central nave and the triple groined vaults over the collaterals below the row of windows which light the central nave. The transept projects slightly beyond the naves and has semicircular vaults. Above it the octagonal cupola is supported on squinches.

In front of the central absidial is a rectangular space to which give access two staircases overhanging a central one which leads down to the crypt. The walls of this enclosure show two niches on either side, which are repeated in the apse, matching the windows. The crypt is similar in plan to the contemporary one in the cathedral of Vich. It is divided into three naves separated by two rows of five columns, topped by rough hewn blocks which support high arches curving down to stone projections on the walls. The roof is groin vaulted. The entrance consists of an atrium with three bays covered by a groined vault at the end of which spiral staircases were built inside towers and leading to the roof. These have now disappeared. The upper floor of this atrium forms the gallery which is incorporated in the end of the central nave. In the upper parts its exterior appearance is ruined by constructions superimposed on the collateral naves which disfigure the cupola and smother the high walls of the central nave. The lower parts of the lateral walls are reinforced by rough buttresses and display a rich decoration of double arcatures between pilasters which extend to the transept and the walls of the absidials. Blind windows in the interior of the central absidial continue to the beginning of the walls of the transept. The whole structure corresponds exactly to a premeditated plan and shows a complete mastery in its balance and proportions. Few examples of the basilican style surpass this monument or had such a profound influence on the popularity of this type.

List of plates

This fortress, built on the highest point of a long promontory surrounded by the Ter, was occupied by the military in 798 by order of Louis the Pious. Nevertheless, it was not really consolidated until 879 at which the country was repopulated and a church built, dedicated to St. Peter. In 1006, when it had fallen almost entirely into ruin, the vicomtesse d'Ausona decided to rebuild it, claiming for this purpose the property ceded to her by the count Raimond Borrell of Barcelona. Her intention was to establish a monastery here which is proved to have been in existence in 1022 although the building of the church itself fell to her daughter-in-law, Egoncia, who saw its near completion in 1029. At this date she made arrangements to be buried there. Concurrently with her project, Egoncia's children, Bremund and Eriball, undertook the building of the church of Cardona. From 1080 the monastery was under the jurisdiction of Cluny and only lost its importance in the XVth century after the buildings had been damaged by the earthquake of 1427. This necessitated large scale restorations and the demolition of the northern nave whose vault had fallen in. The precarious life of the monastery ended in 1572 when it passed into the hands of the Jesuits of Bethlehem of Barcelona who retained possession of it until their banishment in 1767. At that date it passed into private hands where it remained until its total abandonment at the end of last century. The result was growing piles of ruins around the fleshless skeleton of the church.

Nothing could be more striking that its grandiose basilical plan which can now only be appreciated from the interior. It forms a square divided by two massive pillars into the form of a cross. These pillars support the two great separating arches of the naves. The parallel semi-circular cradle vaulting is lower over the collateral naves which emphasises the double level of the roof. The ground is of bare rock and slopes up towards the apse which ends in three absidial chapels, of which the central one is preceded by a rectangular sanctuary. The ensemble forms a single uninterrupted mass, displaying a rigidity of form whose entire effect depends on the curve of vaults and absidials bathed in the filtered light of the rare windows. The

exterior gives the same effect of severity with its smooth walls which show no trace of decorative projections. Ornament is limited to the arcatures between pilasters which encircle the absidials and the gallery with blind windows heightened by arcatures beneath a simple saw-toothed cornice. The bell tower is built against the south wall. The lower storey has an octagonal vaulted ceiling, and the upper one the same vaulting in a square plan beneath the pyramidical roof. Two windows adorn each face.

The cloister was rebuilt and simplified after the 1427 earthquake and retains traces of the early plan in the column topped by a capital forming the angle facing the door of the church. Logically it may be assumed that similar columns existed to which belonged the capitals now preserved in the Episcopal Museum at Vich, which were probably rescued from the ruins in 1006.

Little trace remains of the monastic buildings around the cloister.

Sant Llorenç del Munt

According to tradition, the monastery of San Llorenç was built high in its mountain solitude immediately after the Arab invasion of 714. The shelter and security afforded by the remote mountain caves and grottoes prompted the building of a monastery whose church was still in existence in 947. Subsequent documentation reveals that it was founded by the count of Barcelona and placed under the jurisdiction of the monastery of San Cugat del Valles which provided the monks. The monastery won its independence at the beginning of the XIth century and a new and larger church was erected. This was the work of the abbot Odegari and it was consecrated in 1064 during the first year of office of his successor, Berenguer. Troubles were caused in the life of the monastery by the famous Frotard, abbot of Tomieres since 1087, and these led to a new submission of the community to the authority of San Cugat by decision of the count, which was confirmed by Pope Urbain in 1098. Independence once lost, its importance diminished and the number of its community grew less and less, especially after the death of the last abbot in 1608. A revitalisation of this half-abandoned centre was prevented by the harshness of its surroundings and it finally fell into ruin in 1804. The modern restoration of the church dates from 1868.

The massive church stands out against the few adjoining buildings with its smooth walls built of stone hewn from the mountainside. The plan consists of three naves, of which the centre one is slightly higher than the two lateral ones. There are three absidial chapels and an octagonal cupola. Traces remain of a door behind the western wall which ends in a gabled bell turret. In this wall is the entrance door which boasts an arched lintel exactly similar to the south door which gives access to the monastery. A third door in the opposite wall formerly led to the cemetery.

The distribution of the interior follows a cruciform plan rather than a purely basilican one. It forms a rectangle by means of the incorporation of the space between the arms of the cross, from which the three naves extend with the single addition of one bay. This explains why the cupola is found towards the centre of the church in the style of certain eastern churches. The naves are divided by arches resting on rectangular pillars which are only cut by the groins in the transverse bay. This is necessitated by the weight of the cupola which is supported by squinches.

Cradle vaults forming the base of the cupola rest on the same walls. A slight convergence of the naves towards the apse heightens the emotional impact of the sanctuary from which the absidial chapels open out. Each chapel has smooth walls and a single window except the central one which has two niches in the walls. This detail links the church to others of the same period, as do the double arcatures between pilasters encircling the exterior of the absidials. This work is a good illustration of the adaptability of the builders, who do not, however, depart from the rough methods imposed by reason of economy.

271

The church stands on an isolated spur between the slopes of a wide gorge and at some distance from the castle and present day town of Corbera. Nothing is known of its origins and history except that it housed a community of Benedictines, affiliated to Cluny and subject to the juridiction of the monastery of Cassérres. During the XVIth century it was ruled by priors to whom it was entrusted only a short time before its suppression. After which, the funds which had supported it were diverted to the Benedictine college at Lerida. The church was then reduced to a simple suffragan of the parish of Corbera and thereby escaped the changes and modifications introduced into most of the religious buildings after the XVIIth century. It preserved its original integrity which was not spoilt by a careful restoration

The church of San Pons is built in a most elaborate and finicking style which testifies to the skill of the stone cutters and masons who carried out the work. The plan consists of a nave with three absidial chapels, and a transept crowned by a bell tower. It is carried out in masterly fashion. The vaults are semi-circular and parallel, those in the central nave being underlined by a row of small blocks forming a cornice along the walls which links the arches and columns. In the transept a cradle vault covers the opening of each absidial chapel. These chapels have one window and smooth, bare walls, in contrast to the central apse which contains three niches carved in the walls below the level of the three windows. The cupola is nearly spherical. It does not rise from the lateral arches in the transept but from two inner parallel ones, from which delevop the conical squinches which support the square of its base. This treatment is designed to continue the rhythm of the arcatures which extend along the lateral walls of the nave. To further emphasise this rhythm, the pillars in the transept are rounded in form, like a half column with a projection flattening into the beginnings of the arches. Traces of murals survive in one of the niches and one window in the central chapel. They must once have glowed in the light of the double embrasured windows opening above each of the central arches which support the cupola and those in the nave and transept. In addition is the twin window divided by a column in the upper part of the facade and cross shaped skylights at the end of each arm of the transept. Three great doors with flattened arches still exist, one in the facade, one in the

southern wall of the transept and the third in the third bay of the northern wall.

The exterior plan shows two different levels of roof, the higher one over the transept and nave. The cupola is a rectangular mass with smooth walls and a pyramidical roof crowned by a two-storey bell tower. The lower storey has one window in each face, the upper one, two twin-windows divided by columns. The exterior lateral walls are encircled by vertical clusters of pilasters joined at the top by double arcatures. On the facade these number five owing to the construction of the twin window which cut the central pilasters. In the radiating chapels the ornamentation is limited to single arcatures which widen in the absidioles and projects over the adjoining walls.

The monument is in the finest Cardona tradition and illustrates the diversity of style shown in a number of works executed towards the end of the XIth century.

The village of Frontanyà lies between Ripolles and Lluganes and was one of the last to have sprung up under religious auspices after the resettlement was started in 878. In 905 a church was built and consecrated to Saint James. It slowly grew in importance and a nucleus of residential priests was formed which developed into an Augustinian community towards the end of the XIth century.

The construction date of this church can be learned from the documentary testament bequeathed in 1074 by the chatelain of Lluça, Folc Seniofred, brother of Berenguer, bishop of Vich who was one of the leaders of Augustinian reform. The records are not sufficient to enable us to trace the history of the church and priory which was in existence until the general suppression of 1592. It was then reduced to a small community of priests engaged in rural parish work. It was thanks to this gradual decline in importance that the church owes its almost total preservation.

The church is striking in its unity of plan and magnificence of construction. It has three absidial chapels opening out of the transept, a single nave beneath a cupola and a double pierced bell-tower surmounting the gable of the facade. The masonry consists of small quarried stones whose regularity is only broken in the more prominent parts, such as the apse, cupola and facade. Arcatures and blind arches festoon the exterior matching the connecting points of the vaults in the interior. Blind windows mark the twelve faces of the cupola with its pyramidical roof. On the curving wall of the apse are three great arcatures which heighten a window, and are accompanied by five arcatures between pilasters. The same decorative rhythm adorns the exterior, whilst undivided arcatures surround the absidial chapels emphasising the single central window. An identical movement is repeated on the facade by means of a tryptich surmounted by arcatures over the door which has a simple flattened, double arch with no lintel, and around the cruciform window which was later replaced by a circular bay.

The interior of the building reveals the suppleness of proportion of a carefully thought out plan. The single, nave is divided into two bays by means of an arch and covered by semi-circular vaulting as are also the arms of the transept which intersect to give place to the cupola which has a vault formed of high cylindrical sections resting on conical squinches. The absidials are heightened by arches at their openings. The lateral ones have completely smooth walls, whilst the central one has five niches defined by arcatures which project in halfcolumns forming a kind of capital.

No superfluous element interrupts the precision of curves of the arches and vaults rising above the rectilinear walls. Their architectural function is expressed in a majestic severity and all is illumined by the rare double embrasured windows. There is one at each end of the transept, two in the south wall and one beneath the cupola on the wall which juts out above the central apse, and one in the centre of each radiating chapel. In addition to the principal door are three others which are walled in at the present day. One is found in each arm of the transept opposite the absidials and another in the south wall. All three have low, simple arches. It is known that this church was in course of construction in 1074, about ten years later than the building of San Llorenç del Munt which was consecrated in 1064 and with which it has several points of similarity. Even more closely it resembles the church of San Martin Sescorts which was consecrated in 1068, although the church of Frontanyà is far more perfect and evolved. Its resemblance to the Italian church of St. Maria de Portonovo has already been remarked upon.

The churches of St. Climent and St. Maria were consecrated on the 10th and 11th of December, 1123, by Ramon, bishop of Barbastro. Taull is situated in the Boi valley which, at that time, belonged to the noble estate of Erill in the county of Pallars. Their construction was due to the prosperity brought to the Pyrenean valleys by the conquests of Alphonse the Warrior, King of Aragon.

Both churches were built to the basilican plan with three naves covered by a wooden framework and terminating in three absidial chapels. The only access to the church is by the south door and the naves have the appearance of lean-to sheds beneath the small joists which support the double slope, slate roof of the building. The interior is divided by three cylindrical columns built of small hewn blocks ornamented on the upper parts by saw-toothed bands. Instead of capitals they are crowned by a light abacus which supports the arches dividing the naves. The apse is of finer construction and the absidials have smooth walls with a wide arch in front of the central one. The exterior is ornamented with arcatures, carved in a single block and divided into groups by half-columns. Above is a saw-toothed frieze beneath the edging of the roof. At St. Climent the bell tower is separate, whilst at St. Maria it is built onto the south wall. Both are square in construction, with twin windows beneath arcatures in each face and each storey. The arcatures are painted red and underlined by a saw-tooth frieze which gives them the appearance of Italian bell towers.

The peculiar architecture of Taull is reproduced in several other churches in neighbouring valleys and is explained by the importation of a style which was widespread at that date in the region of Verona and Mantua where the combination of basilical and Lombard lasted a long time and in which the bell towers acquired their characteristic slender silhouette. The nomadic habits of the artists of the day were responsible for this importation. Groups of builders and painters were summoned by the great lords to construct and decorate new churches.

Originally the interior walls and columns of both churches were entirely covered by frescoes. But,

judging from the fragments preserved in the Art Museum of Barcelona, these paintings were not the work of one artist alone. Although belonging to the same group, two different painters were responsible for the decoration of the central apses of St. Climent and St. Maria, and the remainder of the interior was carried out by still a third painter and shows quite a different character.

The most remarkable work is in the apse of St. Climent. It is one of the masterpieces of Romanesque wall painting in Catalonia thanks to the intensity of clear colours employed by a man of striking individuality. He displays a vitality exploding with strength and grandeur without departing from the characteristic style imposed by the Byzantine iconographic tradition. The vision of the Pantocrator in the midst of angels offering the symbols of the apostles is of astounding majesty. The serene expressions of the apostles above the porticoes of the lower part match the ecstatic face of Our Lady who bears a luminous chalice in her hand. The realism of the seven-eyed lamb and the divine hand outstretched in blessing which can be seen inside medallions on the arches far surpasses that of the figures of Jacob and Lazarus which still survive in the remains of the lower decoration.

The painter of the central apse of St. Maria did not possess the genius of his companion, although he reveals a perfect mastery in the execution of his work and uses a clear range of colour. The frescoes are painted in two zones. They cover the semi-circle of the apse and extend across the triumphal arch over the side walls, separated by orles, and finish in the lower part by a band of medallions in which animals are portrayed. Rich hangings were suspended from this band which fell in deep folds. In the centre of the compositon, on the upper part, is the Epiphany, with the Magi on each side of the aureole which serves as background to the throne on which Our Lady is seated with the infant Jesus in her arms. The theme of the apostles is continued on the lower part. The triumphal arch displays the Lamb of God. On one side are the offerings of Abel, and on the other there used to be the figure of Melchisidec on the level which probably continued the row of apostles. On the opposite wall

274

are the symbols of the evangelists, two on either side, represented by angels with symbolic heads, separated by a cherubim. Paintings of St. Gabriel and St. Raphael follow close to the opening of the arch. Of this whole composition, only a portion of the zone continuing the row of saints is preserved at the present day.

The two principal artists left Taull to undertake other commissions. The hand of the painter of St. Climent can be discerned in one of the absidials of the church of Rodes, whilst the artist of St. Maria later decorated Berlanga and Maderuelo in the realm of the king of Aragon in Castille.

The decoration of the interior walls was carried out by yet a third artist who lacked the skill of the other two. He confined himself to classic colours but, nevertheless, made up for his deficencies by an extraordinary boldness of imagination. In St. Climent all that remains of his work is some angels in an absidiole, but at St. Maria many mural fragments are preserved which illustrate the general rhythm of his design. Wide bands with reds and ochres predominating serve as background. On the southern wall incidents from the life of St. Climent can be seen and on the lower part, framed by porticoes, the scenes of the adoration of the Magi and the story of Zacharias. The combat of David and Goliath is portrayed on the wall at the end of the nave, on the Epistle side. The Last Judgement is on the west wall, and a fantastic picture illustrating the tortures of the damned is painted on the northern wall. The prophets appear over the intrados of the arches dividing the naves, whilst the upper spaces beneath the slope of the roof is decorated with birds and animals.

There were also wood carvers at Taull in addition to the builders and painters. Groups of their carvings are preserved in the Boi valley. A favourite theme was the Descent from the Cross. Only a few survive at St. Climent, together with an altar frontal showing the apostles carved in relief, and above all, the canopied pew which is profusely decorated with carving remarkable for its strangeness. It is a most striking example of the church furnishing of the period.

List of plates

The monastery of Ripoll was founded in 879 by the count Guifred-le-Velu. The original church was consecrated in 888, but this was replaced by another in 935, and yet another in 977. This last one was a basilica with five naves and a wooden roof which was much enlarged in 1032 by the addition of a vaulted transept, seven absidial chapels, a central crypt and an extension in the front boasting two towers. The characteristic Lombard style is illustrated by the series of arcatures between pilasters and blind windows which decorate the exterior walls which were superimposed upon the ancient structure. This undertaking was inspired by the abbot Oliba at the end of the period during which monasteries enjoyed their greatest prestige, the time when the counts of Cerdany and Besalù, descendants of the founders, rivalled each other in their building zeal.

From 1070-1179 the monastery of Ripoll was under the jurisdiction of that of St. Victor of Marseilles. The consequent interchange of monks resulted in various modifications to the basilica. The primitive wooden framework over the naves was replaced by vaults and the famous portal was erected. During the last quarter of the XIIth century the necessary renewal of the monastic buildings acquired a definite plan when the construction of cloisters was started, with a gallery of thirteen arches. Decoration abounded and capitals, abacus and arches were carved with anecdotal motifs or foliage. This gallery was not continued, however, until the period of high Gothic, when in 1380 an additional one was superimposed and the three missing ones in the lower cloister were only finished in 1401. It was not until a century later that three further galleries were built to complete the upper cloister. The Romanesque model was followed in them all, with its plan of arches resting on double columns, reduced to a single column in the upper cloister which gives it a more ancient appearance.

The vaults of the basilica were destroyed by an earthquake in 1428 and were subsequently replaced by ribbed vaults joined by keystones. The crypt disappeared and the interior was transformed by the erection of a counter-reredos which occupied the central apse. In 1830 serious restorations were necessary which resulted in doing away with the dividing pillars in the three naves which gave it the air of a temple. A fire on 9th August, 1835, followed by looting brought the millennial of the monastery to an end and caused its abandonment. Gradually the famous building fell a victim to the ravages of time and was reduced to a heap of ruins. The restorations undertaken in 1885, although inspired by the finest examples of Romanesque architecture, were too rigid in treatment and failed to take into account the varied elements which were incorporated at different stages of its growth. A reconstruction was started in 1893 thanks to which the basilica was saved together with the double cloister and the magnificent doorway.

The significance of Ripoll lies in the extraordinary prestige as a centre of culture it had enjoyed since its foundation. The fame of this monastery shone in the dawn of western civilisation because it succeeded in fusing the racial current vitalised by the Christian Visigoth strain, reanimated by the influence of the new Carolingian growth, and the treasure unearthed by the Arabic schools from forgotten Greek culture. The monastic library, at the beginning of the XIth century, possessed the vast number of 246 manuscripts, embracing the most varied subjects, for, in addition to liturgical and monastic books, it included works on grammar, rhetoric, philosophy, the law, history and science written by the most influential authors of the Middle Ages. Cultural relations were fostered with other monasteries and resulted in a feverish intensity of work, especially among the copyists, which reached its peak during the reign of the abbot Oliba. After his death, the influence exerted by Ripoll became notorious for its spirit of intellectual unrest which expressed itself in a voluminous production of manuscripts and study course derived from them. In the realm of art, illustrated texts aroused great interest although all that is left to us are two examples of Bibles, one in the Vatican library which is wrongly attributed to Farfa, and the other from the monastery of Roda which is now in the Bibliotheque Nationale in Paris. Both works date from the beginning of the XIth century and are profusely illustrated.

The finest artistic work at Ripoll is to be found on the famous doorway at the entrance to the basilica. It is in the form of a triumphal arch and entirely covered by carving. It shows seven parallel panels, cut by the door itself and forming seven arches of diminishing size. In structure it consists of a plinth resting on a base at each side, framed by light columns joined by a cornice, with a column at each side which supports the great upper frieze running the entire length of the upper part. All the surface is profusely carved with interlaced ornamentation with foliage and animals.

The embrasure of the door is heightened by archivolts which rest alternately on columns and bevelled stiles. The Lamb of God flanked by adoring angels is to be seen in the centre of the second arcade. The third arcade is supported by statues of St. Peter and St. Paul, and the surrounds are enlivened by carvings illustrating incidents from their lives. The sixth arcade displays five scenes from the story of Jonah matching five scenes from the life of Daniel. In the centre of the seventh arcade which frames the door, Our Lord is seated upon a throne being censed by two angels, with incidents from the story of Cain and Abel flanking it. The twelve months of the year and scenes from a husbandman's life are carved on the lateral supports of this arch. On the upper frieze which crowns the facade, the vision of the Apocalypse has chief place with the twenty four crowned Ancients praising with their musical instruments the All Powerful

276

who is seated on a throne before two adoring angels. On either side are the Tetramorphs with the bull and the lion on a lower level flanked by a procession of the blessed including the apostles and the seven virgins, with Isaiah and St. John the Baptist at the extremities. The cycle of the Old Testament can be seen on the two lower panels of each central part. They are inspired by miniatures from the Ripoll bible of which we have already spoken. To the right, on the highest register, the crossing of the Red Sea can be seen, together with the announcement of Divine assistance to the Israelites assembled before Moses and Aaron, with the column of light, the angel and the rain of manna from heaven, and the miraculous spring gushing from the rock of Horeb. On the lower panel Aaron and Hur support the arms of Moses during the fight between Joshua and Amalec in Rafidim, with soldiers fighting horsemen on either side.

The base is extended by a portico which shelters the figure of the Lord presenting the law to Moses who is accompanied by Aaron, a bishop and a warrior. In the corresponding panel on the other side, the figure of David can be seen surrounded by four musicians playing, respectively, the violin, cymbals, a horn and a flute. This carving heads the series of subjects drawn from the Book of Kings, which begins on the left of the panel above with the musicians accompanying the transference of the arch of Jerusalem, the incident of Oza, and the dance of the king before Michol, together with musicians symbolising the seven choirs which preceded the transference. Next comes a representation of the city of Jerusalem, ravaged by the plague, and the prophet Gad ordering David to build an altar to God in the place of Areuna. In the upper panel, Bethsheba can be seen at the feet of the king demanding the throne for her son, Solomon, followed by his proclamation as king and Solomon's dream in which he begs for the wisdom of God who is shown in majesty in an almond shaped medallion between two angels, and finally the carrying off of Elias on the interior of the lateral frame. The pre-Apocalyptic visions of Daniel appear on the lower part of the base. The first of these visions, of four beasts, is on the right. It alludes to the judgement of the damned whose torments are illustrated in medallions on the plinth, and is completed by scenes from the parable of Epulon. This vision complements the apocalyptic vision on the upper frieze and gives expression to a series of scenes from Exodus. To the left is the second vision showing the struggle between a lamb and a buck wich an angel in human form who shows the face of Anti-Christ. It refers to the establishment of the spiritual reign of Christ and leads to the upper series taken from the Book of Kings with the triumph of the Ark of the Covenant during the reigns of David and Solomon which presages Christ Himself.

The ordered rhythm of the carvings not only contains a liaison between the significance of the double reign of Christ, the Messianic and the spiritual before the eternal vision of God foretold by Daniel and completed by the Apocalypse, but also corresponds to a concept elaborated by the biblical and historical erudition of the monks which attempts a clear allusion to the reconquest carried out by the last count of Barcelona, Raimond Berenguer IV in 1149, and which corresponds to the messianic reign established by the crusade against the Saracens.

The details of the sculpture coincide with this important date and mark the presence of a master carver or group of carvers who were not intimidated by the problems of high relief and achieved a careful modelling of the forms beneath the decorative folds of their robes.

list of plates

Montbui

Die Kirche von Montbui erhebt sich auf dem Gipfel eines Berges in einer Gegend, die seit dem Arabereinfall von 714 bis 970 entvölkert war. Nach der Invasion Almansors im Jahre 987 begann man unter der Autorität der Bischöfe von Vich gleichzeitig einen Verteidigungsturm und eine Kirche zu bauen. Diese beiden Bauten blieben sicherlich unvollendet wegen der schrecklichen Dürre, die drei Jahre später die ganze Einwohnerschaft zum Wegzug zwang.

Die Wiederbesiedelung um 1023 wurde von Bischof Oliba der Sorge des Diakons Gillaume übertragen, der den Turm der Kirche vollendete und 1035 eine testamentarische Stiftung für die Weihe derselben hinterliess. Da er zu dieser Zeit in einem Kampf gegen die Araber fiel, erlebte er die Konsekration der Kirche nicht mehr. Fortan erhielt die Kirche den Charakter einer Landpfarrei, den sie bis 1614 bewahrte. Damals verlegte man die Pfarrei in einen Stadtkern am Fusse des Berges. Befreit von den gewöhnlichen Funktionen einer Pfarrkirche entging die Kirche späteren Umwandlungen, wenn man von einer kleinen Kapelle aussen an der Nordmauer und dem Kalkbewurf im Innern, der ihre Struktur verdeckt, absieht.

Die zwei Epochen ihrer Konstruktion zeigen zwei verschiedene Auffassungen im Abstand von nur einigen Jahrzehnten. Die erste dieser Auffassungen weist auf eine Architektur vor dem Jahre 1000 hin. Dazu gehört der grösste Teil des Gebäudes, der im Jahre 987 errichtet wurde. Die zweite Auffassung zeigt sich im lombardischen Stil, durch Anfügen von Absiden an den ursprünglichen Altarraum. In ihrem Aeusseren bildet die Kirche einen rechteckigen Block mit Satteldach, aus dem ein einfacher Dachreiter mit Doppelbogen über der Westmauer herausragt, dazu drei Absiden im Osten.

Das Mauerwerk besteht aus kleinen, rohen Steinblöcken. Die zweite Bauperiode erkennt man an den kleineren Steinen, wie sie in den Anfängen zu den Absiden und in der Verlängerung der Schiffe, wie auch aussen am oberen Teil der Mauern zum Vorschein kommen.

Der ursprüngliche, organische Teil entspricht dem Basilikatypus mit drei durch Säulen geteilte Schiffe. Die Säulen, geformt aus drei zylindrischen Stücken, stehen auf Basen und tragen als Kapitell einen glatten

Block mit abgerundeten Ecken. Auf die Deckplatten, die auf den Kapitellen ruhen, stützen sich die leicht hufeisenförmigen Bögen. Die Gewölbe der drei Schiffe weisen im Schnitt ebenfalls Hufeisenform auf. Im Raum vor dem Heiligtum sind die Gewölbe etwas tiefer und ruhen auf Bögen, die in Halbsäulen enden. Die Ausdehnung des ursprünglichen Altarraumes, der später durch Absiden ersetzt wurde, lässt sich nicht mehr genau bestimmen. Hingegen bezeugen am anderen Ende der Kirche zwei massive Pfeiler von einer Konstruktion von kleineren Bögen und Tonnengewölben in der zweiten Periode, gleichzeitig mit den Absiden.

Die drei kleinen Fenster in jeder der Absiden haben doppelte Fensterausweitung, ebenso die drei Fenster in der Südmauer. Das Ganze zeigt einen Architekturtyp mit voller Anwendung des Gewölbes, wie es wenige Jahre später in der Unterkirche von Canigou im Roussillon antrifft, nur dass hier noch der Hufeisenbogen vorherrschend ist.

In der zweiten Periode wurden drei Absiden, die den Schiffen entsprachen, angefügt. Alle drei sind auf der gleichen Höhe erbaut. Das Innere ist glatt, das Aeussere aber geschmückt mit Vorsprüngen die aus durch Lisenen getrennte Arkaden bestehen.

Das Bauwerk ergreifend in der Einfachheit seiner Linien, ist das Ergebnis zweier Kunstrichtungen, die sich ergänzen, um zu zwei verschiedenen Zeitpunkten dasselbe Problem zu lösen.

Tafel der Abbildungen

1 Die Kirche von Westen durch eine Scharte des Turmes gesehen. Man erblickt hinter der Kirche den Abschluss der Gebirgskette von Montserrat.
2 Blick auf die Kirche von Südosten.
3 Das Eingangsportal und die Südwand des Schiffes.
4 Mittelansicht des Schiffes und des Chores.
5 Das Schiff, vom Chor aus gesehen.
6 Durchblick vom nördlichen Seitenschiff gegen die Süd-Westecke des Schiffes.
7 Das südliche Seitenschiff gegen Osten gesehen.
8 Der alte Taufstein, hinten im Schiff.
9 Die Kapelle am Ende des südlichen Seitenschiffes.

278

Das Schloss Cardona kannte bis zum Jahre 986, wo die Grenze gegen die Araber stabil blieb, ein sehr wechselvolles Geschick. Zu dieser Zeit übergab es der Graf von Barcelona dem Vicomte von Ausona, Ermemiro. Die schon früher gebaute Kirche St. Vinzens wurde restauriert. Bremund ein Nachkomme des Vicomte, erneuerte 1019 das Patrimonium auf Rat des Bischofs Oliba und erweiterte es durch andere Güter, um damit eine Kommunität von Kanonikern, mit einem Abt an der Spitze, zu dotieren. Er vervollkommnete sein Werk, indem er den Bau einer neuen Kirche unternahm, doch starb er kurz nach der Grundsteinlegung. Die Vollendung dieses Werkes lag nun auf seinem Nachfolger und Bruder, dem Vicomte Eribal, der seit 1035 auch Bischof von Urgel war. Dieser weihte 1040 — zwei Monate vor seinem Tode — das fertiggestellte Werk ein. Das Kanonikerstift, unter der Regel des heiligen Augustin, dauerte bis zur Säkularisation im Jahre 1592. Es wurde in der Folge zu einer Kollegialkirche, die 1851 unterdrückt wurde. Die Kirche war infolge der strategischen Lage des Schlosses 1794 als Kaserne und Magazin gebraucht und zweckentsprechend verbaut worden. Die Abtragung dieser Teile erlaubten die Restauration eines Baudenkmales, das in seiner Gesamtheit vollständig, in seiner Struktur aber bewundernswert, vorbildlich und vollkommen ist.

Die romanische Kirche steht am Ostende des befestigten Hügels. Aufgebaut im Basilikastil mit drei Schiffen, unterbrochen von einem Querschiff, das von einer Kuppel überragt wird, schliesst die Kirche mit drei Absiden ab, von denen die mittlere über einer Krypta steht. Die Schiffe sind durch zwei Reihen von je drei kreuzförmigen Pfeilern von einander getrennt. Vorsprünge tragen ein hohes Tonnengewölbe im Mittelschiff und in den Seitenschiffen die Gratgewölbe, die unter den Fensterreihen liegen, die das Hauptschiff erhellen. Das Querschiff, dessen beide Enden etwas über die Seitenschiffe hinausragen und mit einem Halbkreisgewölbe abschliessen, trägt eine achteckige Kuppel auf Zwickeln.

Vor der Mittelapsis liegt ein rechteckiger Raum, zu dem zwei Treppen hinaufführen. Diese liegen über einer Treppe, die ihrerseits in die Krypta hinunterführt. Die Mauern dieser Einfassung zeigen auf beiden Seiten je zwei Nischen, die sich dann unter den Fenstern der Apsis wiederholen. Die Krypta — aus der gleichen Zeit wie diejenige der Kathedrale von Vich — ist in drei Schiffe geteilt, getrennt durch zwei Reihen von je fünf Säulen, die roh behauene Blöcke tragen, auf die sich die hohen Bögen und das Gratgewölbe stützen, während sie an der Mauer auf Vorsprüngen aufliegen. Den Eingang zur Kirche bildet ein Atrium zu drei Jochen, überdeckt von einem Gratgewölbe, An den äussersten Enden nehmen Wendeltreppen ihren Anfang. Sie führten früher in jetzt verschwundenen Türmen auf das Dach hinauf. Das obere Stockwerk des Vorraumes bildet die Empore, die dem Mittelschiff eingegliedert ist. Aussen sind die oberen Teile verunstaltet durch Aufbauten über den Seitenschiffen, die die Kuppel entstellen und die hohen Mauern des Mittelschiffes ersticken.

Im unteren Teil der verstärkten Seitenmauern kommt ein überreicher Schmuck von Doppelarkaden zwischen Lisenen zum Vorschein, die sich bis zum Querschiff ausdehnen und auch die Absiden bekleiden. Wie in Casserres und Ripoll findet man im Innern der Arkaden der Mittelapsis blinde Fenster und zwar bis in die Nähe der Querschiffmauern. Der Bau der Kirche entspricht einem zum Voraus durchdachten Plan von absoluter Meisterschaft im Gleichgewicht der Proportionen. Wenige Werke übertreffen dieses in der Entwicklung des Basilika Stiles. Wenige auch bieten einen solchen Reichtum an Elementen, die einen grossen Einfluss bei der Verbreitung des Stiles hatten. Deshalb kann sich die Kirche als das vollendetste Modell vorstellen, das eine Epoche charakterisiert.

Tafel der Abbildungen

279

Die Festung, errichtet auf dem höchsten Punkt eines langen, vom Ter umflossenen Gebirgsausläufer, wurde auf Befehl Ludwigs des Frommen im Jahre 798 besetzt. Aber erst 879 bei der Wiederbesiedlung des Gebietes, hatte die Befestigung endgültig Bestand. Gleichzeitig wurde eine dem hl. Petrus geweihte Kirche erbaut. Als die Kirche 1006 ruinenhaft geworden war, entschloss sich die Vicomtesse von Ausona, Ermetruit, zum Wiederaufbau. Zu diesem Zweck forderte sie den Besitz des Grundstückes, das ihr vom Grafen Ramon Borell von Barcelona auch zugestanden wurde. Sie hatte die Absicht hier ein Kloster zu errichten, dessen Vorhandensein 1022 bezeugt ist, während der Bau der Kirche ihrer Schwiegertochter Engoncia oblag, die sie im Jahre 1029 fast vollendet sehen konnte. In diesem Jahre traf sie die nötigen Vorkehrungen um darin begraben zu werden. Die Kinder der Engoncia, Bremondo und Eribal, errichteten dann ihrerseits die Kirche von Cardona.

An der Seite der Kirche entstand das Kloster, das 1080 als Priorat Cluny unterstellt wurde. Sein Einfluss verminderte sich erst als 1427 Erdbeben die Gebäude beschädigt hatten und zu ausgreifenden Restaurationen zwangen. Das Schiff auf der Evangelienseite, dessen Gewölbe zerstört worden war, wurde nicht wieder aufgebaut. Mit dem Aufhebungsdekret von 1572 fand das prekäre Leben des Klosters sein Ende. Es ging dann an die Jesuiten von Bethlehem in Barcelona über, die es bis zur Zeit ihrer Verbannung im Jahre 1767 besassen, dann ging es in privaten Besitz über undw urde im letzten Jahrhundert gänzlich verlassen, was die Ruinen um die Kirche noch mehr häufte.

Nichts beeindruckt so sehr wie ihr grandioser Charakter, den man nur im Innern der Kirche, der ein Basilikaplan zu Grunde liegt, richtig würdigen kann. Ein Quadrat ist geteilt durch zwei massive, kreuzförmige Pfeiler. Diese nehmen die zwei grossen Bögen auf, die die Schiffe trennen. Auf sie stützen sich auch die Rippen, die die letzteren durch die Mitte teilen. Die parallelen, halbrunden Tonnengewölbe sind in den Seitenschiffen niedriger, um das Satteldach zu betonen. Der Fussboden wird gebildet durch den nackten Felsen, der gegen die Chorhaube hin ansteigt. Die Chorhaube schliesst mit drei Absiden. Der Mittelapsis geht ein rechteckiger Altarraum voran. Die Struktur des Ganzen besteht aus einer einzigen Masse, die von unten her durch nichts unterbrochen wird. Sie entfernt sich nicht von der steifen Strenge der Formen, die als Effekte nur auf die Rundungen der Gewölbe und Absiden unter dem gedämpften Licht der wenigen Fenster, zählt. Das Aeussere mit völlig glatten Mauern lässt ebenfalls

keine dekorativen Vorsprünge zu. Diese sind nur Arkaden zwischen Lisenen reserviert, die die Absiden umgeben und die Verlängerung der Mittelapsis, wo eine Gallerie von Blindfenstern nicht fehlt, die durch Arkaden unter einem einfachen Karnies mit Sägezähne-Muster herausgehoben werden. Der Glockenturm lehnt sich an die Südmauer an und weist im unteren Teil ein Kreuzganggewölbe auf achteckigem Plane auf, während der obere Teil mit einem gleichen Gewölbe, aber auf quadratischem Plan bedeckt ist. Darüber folgt die Pyramide des Daches mit zwei Fenstern als Schmuck auf jeder Seite.

Der Kreuzgang, nach dem Erdbeben von 1427 wieder aufgebaut und vereinfacht, bewahrt noch Spuren der ursprünglichen Anordnung in der Säule mit Kapitell, die sich in einem Pfeiler gegenüber der Kirchenporte eingelassen findet. Man darf logischerweise den Schluss ziehen, dass dieser Säule andere, ähnliche entsprochen haben müssen, denen die Kapitelle angehörten, die jetzt im Bischöflichen Museum von Vich aufbewahrt werden. Vielleicht stammen sie aus den Ruinen von 1006. Rings um den Kreuzgang lassen sich mit Mühe die Wirtschaftsgebäude des Klosters erkennen, die die meisten verfallen sind.

Nach der Tradition hätte das Kloster San Llorenç seinen Ursprung in der hochgelegenen Einöde des Berges unmittelbar nach der Zerstreuung, die der Arabereinfall von 714 verursacht hatte. Die Höhlen und Grotten dienten als Zuflucht und schliesslich entstand dort ein Kloster mit einer Kirche, die schon für 947 bezeugt ist. Spätere Urkunden geben an, das Kloster sei vom Grafen von Barcelona auf einem seiner Grundstücke erbaut, mit Mönchen aus der Abtei San Cugat del Vallés besiedelt und diesem Kloster unterstellt worden. Zu Anfang des 11. Jahrhunderts wurde es selbständig und bekam ein gewisses Uebergewicht, das ihm erlaubte eine grössere Kirche zu bauen. Diese war das Werk des Abtes Odegario und wurde 1064 im ersten Jahre der Regierung seines Nachfolgers Berengario eingeweiht. Die Wirren im klösterlichen Leben, die der berühmte Frotardo, seit 1087 Abt von Tomières, verursacht hatte, führte die Kommunität durch gräfliche Entscheidung erneut unter die Oberhoheit des Kloster San Cugat, was von Urban II. 1098 bestätigt wurde. Mit der verlorenen Unabhängigkeit schwand auch die Bedeutung, besonders nach dem Tode des letzten Kommendatarabtes im Jahre 1608. Die rauhe Lage des Ortes verhinderte immer wieder die Neubelebung eines schon fast gänzlich verlassenen Zentrums, das 1804 endgültig erlosch und die Gebäude in den Ruin hineinzog. 1868 gebot man dem Verfall in der Kirche Einhalt um ihre moderne Restauration zu gestatten.

Der Bau ist von strenger Einfachheit, aus glatt behauenen Steinen des Berges aufgeführt. Drei Schiffe - das mittlere etwas höher als das Dach der Seitenschiffe - enden mit drei Absiden. Dazu kommt eine achteckige Kuppel. Es bleiben Spuren vom vorhergehenden Portikus auf der Westmauer, die in einen angefügten Giebel endigt. Auf dieser Mauer öffnet sich das Eingangsportal mit einem Türsturz auf Bogenrundung, genau wie die Südpforte, die ins Kloster führt. Eine dritte Pforte, die erst später auf der entgegengesetzten Seite geöffnet wurde, schaffte die Verbindung mit dem Friedhof.

Die innere, organische Einteilung ist nicht ganz diejenige einer Basilika, sondern eher eine Kreuzform mit Kuppel, abgeändert in eine rechteckige Oberfläche, indem die Flächen zwischen den Kreuzesarmen ebenfalls einbezogen werden. Daraus entstehen dann drei Schiffe durch die Verlängerung um ein Joch. Dieses

erklärt die Tatsache, dass die Kuppel gegen die Mitte der Kirche gerückt ist, nach Art gewisser orientalischer Beispiele. Die Schiffe sind durch Bögen, die sich auf rechteckige Pfeiler stützen, von einander getrennt. Sie weisen nur im Querjoch Gurten auf, die Stütze der Kuppel auf Zwickeln verlangt es so. Die Tonnengewölbe kreuzen sich in der Bildung der Kuppelbasis und tragen sogar Mauern. Eine leichte Konvergenz der Schiffe gegen die Chorhaube hin, verstärkt den visuellen Eindruck des Altarraumes. Vom Altarraum aus gehen die verschiedenen Absiden, die jedem Schiff entsprechen, die beiden äusseren mit einem einzigen Fenster und glatten Mauern, die mittlere aber mit zwei Nischen in der Mauer. Mit diesem Detail lehnt sich die Kirche enger an die Charakteristiken anderer Kirchen aus der gleichen Periode an, mit denen sie auch die durch Lisenen getrennten Doppelarkaden aussen an den Absiden gemeinsam hat. Im Ausdruck des Ganzen bestätigt sich, dass die Erbauer verschiedene Mittel anwandten, ohne jedoch über die ländlichen Methoden, die durch die Sparsamkeit bedingt waren, hinauszugehen.

Etwas abseits auf einer Berghalde, zwischen den Abhängen einer weiten Schlucht, erhebt sich die Kirche in einiger Entfernung vom Schloss und von der heutigen Stadt Corbera. Man weiss weder von ihren Ursprüngen noch von ihrer Geschichte etwas, ausser, dass sie ein Benediktinerpriorat beherbergte, das von Cluny abhängig war und dem Kloster von Casserres unterstand. im 16. Jahrhundert wurde es von Prioren geleitet denen es kurz vor seiner Unterdrückung anvertraut worden war. Damals wurden seine Einkünfte dem Benediktinerkollegium in Lerida zugesprochen. Die Kirche, jetzt zu einer einfachen Suffragankirche der Pfarrei von Corbera geworden, entging den Veränderungen, wie sie die meisten Kirchen vom Anfang des 17. Jahrhunderts an erlitten. Sie bewahrte so die Integrität ihrer Struktur, der eine gewissenhafte Restauration ihren ursprünglichen Charakter zurückgibt.

Die Kirche von San Pons gehört zu den ausgefeiltesten des Stiles und verlangte gewandte Steinmetzen und Baumeister. Man wählte den Plan eines Schiffes mit drei Absiden und Querschiff, das von einer Kuppel überragt ist, die einem Glockenturm als Basis dient. Das Ganze wurde in einem Zug erbaut und es gelang eine vollkommene Synthese aller Bauteile. Die Halbkreisgewölbe laufen parallel; im Zentralschiff sind sie unterstrichen durch eine Reihe von kleinen Blöcken die Karniese vertreten. Die Mauern sind dünner gemacht auf Kosten von Rippen, die sich mit den Verstärkungsbögen vereinigen. Im Querschiff formt das Tonnengewölbe vor der Oeffnung jeder Apsis eine Art Umfriedung. Die kleinen Absiden haben glatte Mauern und nur ein einziges Fenster. Die mittlere Apsis hat im Gegensatz dazu drei Nischen in der Mauer unter der Linie der drei Fenster.

Die Kuppel ist fast halbkugelförmig. Sie stützt sich nicht auf die Seitenbögen des Querschiffes, sondern auf zwei andere, die auf der Innenseite parallel zu diesen laufen und auf die Entlastungsmauern, die zu konischen Zwickeln werden, die das Quadrat der Basis verändern. Diese Lösung scheint dem Verlangen zu gehorchen mit dem Rythmus der Arkaden, die sich auf den Seitenmauern des Schiffes hinziehen, fortfahren zu können. Um dies noch mehr zur Geltung zu bringen gab man den Pfeilern, die im Querschiff die Rippen tragen, eine halbrunde Form. In einer Nische und in einem Fenster der Mittelapsis finden sich noch Ueberreste einer Mauerbemalung, die im einfallenden Licht geleuchtet haben muss. Der Portale mit gedrücktem Bogen sind drei : eines befindet sich auf der Fassade, ein anderes auf der Südmauer des Querschiffes und ein drittes im dritten Joch der Nordmauer.

Das Aeussere betont das Satteldach vor den Absiden und etwas höher gelegen das Satteldach des Querschiffes und des Längsschiffes. Die Kuppel ist aussen zu einem rechteckigen Block vereinfacht. Darüber trägt ein zweistöckiger Glockenturm ein pyramidenförmiges Dach. Der untere Stock des Turmes zeigt auf jeder Seite nur ein Fenster, der obere jedoch ein Doppelfenster mit Säulen als trennendes Element. Am Aeussern schmücken sich die Seitenmauern durch senkrechte Lisenenbänder, die in ihrem oberen Teil durch Doppelarkaden vereinigt sind. Fünf solcher Doppelarkaden finden wir auf der Fassade. Infolge einer Aenderung in der Konstruktion wurde die mittlere Lisene unterdrückt, um oben an der Fassade das Doppelfenster öffnen zu können. In den Absiden erweitert sich der Schmuck zu einer einzigen Arkade, die in den kleinen Absiden noch weiter wird und auf die angrenzenden Seiten hinüberragt.

In ihrer Gesamtheit sammelt die Struktur der Kirche von San Pons die beste Tradition der von Cordona herstammenden Kunstrichtung, um sie zu einem Fortschritt zu führen, der die Verbreitung des Stiles in einer Menge von Bauten bis gegen Ende des 11. Jahrhunderts voraussetzt.

Tafel der Abbildungen

282

Das Dorf Frontanya, an der Grenze zwischen den Gebieten von Ripoll und Lluganès gelegen, war einer der letzten Punkte der kirchlich geordnet wurde. Nachdem die Wiederbevölkerung im Jahre 878, eingesetzt hatte, erbaute man eine Kirche, die 905 zu Ehren des hl. Jakobus eingeweiht wurde. Ihr Primat strahlte aus auf die anderen, die nach und nach erbaut wurden. Schliesslich wurde dieser Kern einer Priesterresidenz im 11. Jahrhundert in ein Kanonikat nach der Augustinerregel umgeschaffen und die Kirche erbaut. Die testamentarischen Vergabungen, die diesem Werk im Jahre 1074 durch den Schlossherrn von Lluça, Folc Seniofred, Bruder des Bischofs von Vich, Berenguer, eines der Häupter der augustinischen Reform, gemacht wurde, kann uns den Zeitpunkt des Erbauens angeben. Um die Geschichte dieses Kanonikates nachzuzeichnen, das bei der allgemeinen Aufhebung im Jahre 1592 unterdrückt wurde, fehlen uns die nötigen Dokumente. Nach der Aufhebung blieb nur eine kleine Schar von Priestern zurück, die hauptsächlich der Seelsorge des Dorfes dienten. Das ärmliche Leben dieser Pfarrei in den späteren Epochen trug dazu bei, dass das Bauwerk fast in seiner Unversehrtheit erhalten blieb, ohne andere Verluste als die der Klostergebäude zu erleiden.

Die Kirche überrascht durch die Einheit ihres Planes und ihre herrliche Struktur. Drei Absiden öffnen sich auf ein Querschiff, dem ein einziges Schiff folgt, als Basis eine Kuppel. Als weitere Beigabe nur ein doppelter durchbrochener Glockenturm, der auf dem Giebel der Fassade steht. Die Gleichmässigkeit der kleinen viereckig behauenen Steine bricht sich an den hervorragenden Stellen, die durch die Chorhaube, die Kuppel und die Fassade dargestellt werden. Unter den Vordächern, die mit den Aufliegepunkten der Gewölbe im Innern übereinstimmen, ziehen sich Arkaden und Blindbögen hin. Auf den zwölf Seiten der Kuppel, die von einem Pyramidendach bedeckt ist, zeichnen sich im Innern einer Gallerie von kleinen Bögen Blindbögen ab. Auf der Mauer des Tambour, der auf die Apsis aufgesetzt ist, schreiben sich drei grosse Arkaden ein, die ein Fenster hervorheben. Sie sind begleitet von fünf Bögen zwischen Lisenen. Der gleiche dekorative Rythmus umgibt die Apsis aussen, während an den kleinen Absiden die Arkaden sich ohne Trennung folgen und so das einzige Fenster hervorheben. Eine identische Bewegung finden wir auf der Fassadenmauer in einem dekorativen Triptik von Arkadenbögen rings um die Pforte, die einen einfachen Doppelbogen ohne Türsturz aufweist; und rings um das kreuzförmige Fenster, wo später die kreisrunde Oeffnung eingebrochen wurde.

Das Innere des Gebäudes entspricht einem gut durchdachten und meisterhaft ausgeführten Werke. Das einzige Schiff ist durch eine Gurte in zwei Joche geteilt und von einem Tonnengewölbe bedeckt. Das gleiche gilt für die Arme des Querschiffes, dessen Gewölbe sich mit dem des Langhauses schneidet, um an dieser Stelle die Kuppel zu tragen. Die Kuppel selber hat ein Gewölbe aus acht zylindrischen Feldern auf konischen Zwickeln. Die Absiden sind durch Bögen an den Oeffnungen hervorgehoben. Während die Mittelapsis von fünf, mit Arkaden umrahmten, Nischen umgeben ist, sind die Nebenabsiden vollständig glatt.

Auf den geradlinigen Aeussern der Mauern können die Rundungen der Bögen und der Gewölbe wahrgenommen werden. Kein anderes, der architektonischen Funktion fremdes Element ist vorhanden. Dies zeigt sich in majestätischer Strenge im Lichte der spärlichen Fenster. Ausser dem Hauptportal existieren noch drei andere Türen, die aber gegenwärtig zugemauert sind : eine in jedem Arm des Querschiffes gegenüber den kleinen Absiden und eine dritte an der Südmauer. Alle drei in Form eines gedrückten Bogens.

Man weiss, dass die Kirche 1074 im Bau war. Sie ist ein Jahrzehnt später als die Kirche von San Llorenç del Munt, die im Jahre 1064 eingeweiht wurde und mit der sie einige Aehnlichkeiten im Aufbau der Mauern zeigt. Sie nähert sich aber mehr der Kirche von San Martin Sescorts (geweiht 1068), von der sie in mehr als einer Hinsicht eine Nachahmung zu sein scheint; freilich viel vollkommener und entwickelter. Man hat auch auf die Aehnlichkeit aufmerksam gemacht, die sie mit der italienischen Kirche Santa Maria von Portonovo hat.

Tafel der Abbildungen

283

Die Kirchen von Sankt Klemens und Sankta Maria von Taull wurden am 10. und 12 Dezember 1123 durch Ramon, Bischof von Barbastro, geweiht. Sie finden sich im Tale des Boi, das damals zum Rittergut von Erill, in der Grafschaft von Pallars, gehörte. Die oekonomischen Vorteile, die den Pyrenäentälern aus der Teilnahme am Eroberungszuge Alphons I. Königs von Aragon, erwuchsen, erlaubten den Bau dieser Kirchen.

Beide Kirchen entsprechen demselben architektonischen Typ eines Basilikaplanes mit drei Schiffen, bedeckt von einer Holzkonstruktion und durch drei Absiden abgeschlossen. Die Struktur der Schiffe — ohne jeden anderen Zugang als die Eingangspforte im Süden — entspricht einer ländlichen Methode mit glatten Mauern, die ihnen das Aussehen eines Schuppens geben mit dem Balkenwerk, das das schiefergedeckte Satteldach stützt. Das Innere ist mit Hilfe dreier zylindrischer Säulen, die aus kleinen, gehauenen Blöcken zusammengesetzt sind, geteilt. Im oberen Teil tragen die Säulen Verzierungen aber keine Kapitele. Auf einer leichten Deckplatte setzen die Bögen auf, die die Schiffe teilen. Die Chorhaube — gepflegter in der Ausführung — weist im Innern glatte Absiden auf. Aussen zeigt sie Arkaden mit doppeltem Vorsprung, die aus einem einzigen Block gehauen sind und durch Halbsäulen in Gruppen aufgeteilt werden. Dazu kommt unter der Linie der Bedachung ein Zahnschnitt-Fries. Einzig der Zentral-Apsis geht ein breiter Bogen voran, der aussen ihre Masse hervorhebt. Die Beleuchtung konzentriert sich auf das Fenster, das sich in der Mitte jeder Apsis befindet, dazu je eines in den kleinen Absiden. In der Mittelapsis kommen dazu kreisrunde Oeffnungen und zwei auf den Mauern dieser Apsis.

Der Glockenturm steht in Sankt Klemens isoliert, in Sankta Maria aber ist er in das Innere des Südschiffes eingebaut und zeigt die typische Form von Quadraten, die Doppelfenster unter Arkadenbögen auf jeder Seite und in jedem Stockwerk umgeben. Diese letzteren sind durch Zahnschnitt-Friese hervorgehoben, was ihnen das Aussehen von italienischen Glockentürmen gibt, deren Farbgebung sie im Rot der Arkaden ebenfalls nachahmen. Das Seltsame des architektonischen Typs von Taull — der sich auch in anderen Kirchen der umgebenden Pyrenäentäler wiederholt — erklärt sich aus der Uebernahme einer Struktur, wie sie sich zu dieser Zeit in den Gegenden von Verona und Mantua zeigte, wo derselbe Basilikatyp lange Zeit zusammen mit dem lombardischen Stil existierte. Die Künstler von damals führten ein Wanderleben und so entstand in Taull dieser Basilikatyp, indem die grossen Herren des Landes die Bauleute und Maler zum Bau beriefen.

Die beiden Kirchen wurden vollständig ausgemalt und zwar auf den Verputz, der im Innern die Absiden, die Mauern und die Säulen bekleidete. Doch war diese Ausschmückung nicht das Werk eines einzigen Künstlers, wie man an den Fragmenten feststellen kann, die

284

im Kunstmuseum von Barcelona aufbewahrt werden. Zwei verschiedene Künstler der gleichen Gruppe malten die Mittelapsis von Sankt Klemens und Sankta Maria aus. Die restliche Innendekoration wurde durch einen Maler mit anderen Kunstauffassungen ausgeführt.

Der bedeutendste Teil findet sich in der Apsis von Sankt Klemens. Er stellt das Meisterwerk der romanischen Wandmalerei in Katalonien dar, infolge der Intensität der klaren Farbgebung, die ein Künstler im Dienste einer hervorragenden Figur ausbreitete. Ohne aus den charakteristischen Zügen herauszutreten, die durch den ikonographischen Kanon byzantinischer Inspiration gegeben waren, verstand es der Künstler dieser Person eine tiefe menschliche Vitalität einzuprägen. Die Schau des Pantokrator inmitten von Engeln, die die Evangelistensymbole tragen, ist von überraschender Majestät. Die Apostel in den Säulenhallen der unteren Partie begleiten in seiner heiteren Verklärung das extatische Bild der allerseligsten Jungfrau, die einen lichten Becher in ihrer Hand hält. Das Lamm mit den sieben Augen und die segnende Hand Gottes, die sich in den Medaillons des Bogens finden, übertreffen durch ihren realistischen Charakter bei weitem die Figuren des Jakob und des Lazarus, die unter den Resten der unteren Dekoration erhalten blieben.

Der Maler der Zentralapsis von Santa Maria besitzt nicht das Genie seines Vorgängers, obwohl er in der Ausführung seines Werkes eine perfekte Meisterschaft in der Linienführung nach dem stilistischen Kanon aufweist und er sich in einer hellen Farbgebung hält. Die Dekoration umfasst den Halbkreis der Apsis und breitet sich über den Triumphbogen hinüber auf die Mauern der Seiten in zwei getrennten Zonen, wobei Säume die Trennung bilden. Am unteren Ende befindet sich ein Band von Medaillons mit Tierdarstellungen, von denen eine reiche Draperie herunterhängt. Im Mittelpunkt der oberen Komposition befindet sich die Epiphanie mit den drei Magiern auf der Seite der Aureole, die dem Thron, worauf Maria mit dem Kind im Arm sitzt, als Hintergrund dient. Im unteren Teil geht die Apostelreihe im Innern einer Säulenhalle weiter. Der Triumphbogen trägt als Schlusstein das Agnus Dei zwischen der Opfergabe des Abel und derjenigen des Melchisedech, die aber verschwunden ist. Die Evangelistensymbole finden sich auf der gegenüberliegenden Wand, zwei auf jeder Seite, dargestellt durch einen Engel mit dem Symbol als Kopf und voneinander getrennt durch einen Cherubin. Ihnen folgen die Darstellungen der Erzengel Gabriel und Raphael ganz nahe an der Oeffnung des Bogens. Von dieser Komposition hat sich nur ungefähr die Hälfte erhalten.

Die zwei hervorragendsten Maler verliessen Taull, da sie wohl andere Aufträge bekommen hatten. In der Dekoration einer kleinen Abside der Kirche von Roda findet man die Spur des Malers von Sankt

Klemens wieder. Der Maler der Marienkirche wird Berlanga und Maderbelo, Domänen des Königs von Aragon in Kastilien ausschmücken.

Die Dekoration der inneren Mauern übernahm ein dritter Maler, der aber nicht das Format der zwei anderen hatte. Er besass selbst ihre Vorbereitung und war auf die klassischen Farben beschränkt. Hingegen ergänzte er seinen Mangel durch einen ausserordentlichen Mut im Dienste einer überraschenden Phantasie. In Sankt Klemens beschränkt sich seine Arbeit auf eine kleine Abside mit Engeln. Im Gegensatz dazu bewahrt man in der Marienkirche weitausgedehnte Mauerfragmente, die den verteilenden Rythmus der inneren Dekoration in zwei Zonen, die durch Säume getrennt und durch Behänge abgeschlossen werden, klar erkennen lassen. Breite Bänder wo Rot und Ocker nebeneinanderliegen dienen dem Sujet als Hintergrund. Auf der Südmauer finden wir Szenen aus der Legende des heiligen Klemens und auf der unteren Partie — eingerahmt durch Säulenhallen — die Figuren der Anbetung der Magier und die Geschichte des Zacharias. Auf der Rückmauer des Schiffes der Epistelseite ist der Kampf Davids mit Goliath dargestellt. Die Darstellung des letzten Gerichtes findet sich auf der Westmauer und auf der Nordmauer eine phantasievolle Beschreibung der Qualen der Verdammten. Die Propheten sind auf den Intrados der Scheidebögen der Schiffe abgebildet, während sich weiter oben unter dem Dachansatz Vögel und andere Tiere tummeln.

Zur Gegenwart der Bauleute und Maler in Taull gehört auch jene der Holzschnitzer. In den Kirchen des Boi-Tales liessen sie ganz besonders ihre Gruppen der Kreuzabnahme zurück, von denen man aber nur einige aufbewahrt, die von Sankt Klemens stammen. Dazu kommt ein Antipendium mit den Reliefs der Apostel und vor allem eine Bank mit Himmel und sehr reich geschnitzter Dekoration. Sie ist bemerkenswert wegen ihrer sonderbaren Fremdartigkeit und stellt ein aussergewöhnliches Möbelexemplar der Epoche dar.

Tafel der Abbildungen

Das Kloster von Ripoll, gegründet 879 durch den Grafen Wilfred den Haarigen, konnte seine erste Kirche im Jahre 888 einweihen. Diese wurde 935 durch eine zweite und 977 durch eine dritte ersetzt. Diese letztere war eine Basilika mit fünf Schiffen und einer Decke aus Holz. 1032 wurde sie endgültig vergrössert, indem man ein gewölbtes Querschiff mit sieben Absiden, eine Zentralkrypta und eine Verlängerung nach vorne mit zwei hohen Türmen anfügte. Die lombardische Kunst hinterliess ihre Charakteristiken in den Vorsprüngen der Arkaden zwischen Lisenen und den blinden Fenstern, die das Aeussere der auf das alte Gebäude gestellten Mauern schmücken. Abt Oliba gab dieser Vollendung seinen Impuls. Sie schloss die Periode des grössten Einflusses des Klosters, während der die Grafen von Cerdanya und Besalù — Nachkommen der Gründer — miteinander wetteiferten das Gotteshaus zu begünstigen.

Von 1070 bis 1179 war das Kloster von Ripoll demjenigen von Sankt Viktor in Marseille unterstellt. Der Austausch des Klosterpersonals und die Einführung einer neuen Richtung veranlassten Aenderungen an der Basilika: der Dachstuhl der ursprünglichen Schiffe wurde durch Gewölbe ersetzt und das berühmte Portal errichtet. Die Erneuerung der Klostergebäude, die zu verschiedenen Zeiten je nach Bedürfnis ins Werk gesetzt wurde, bekam im letzten Viertel des 12. Jahrhunderts einen endgültigen Charakter als man die Errichtung der Kreuzgänge mit den dreizehn Bögen der Galerie, die sich an die Basilika anlehnt, begann. Diese Galerie wurde erst in gotischer Zeit weitergeführt, indem man 1380 eine andere darüber baute und auch die drei errichtete, die dem inneren Kreuzgang fehlten (vollendet 1401). Erst ein Jahrhundert später baute man auf diesen letzteren die drei Galerien, die den oberen Kreuzgang vollenden sollten. In allen herrscht das Modell der romanischen Galerie vor, die in ihrer Struktur durch Bögen auf Doppelsäulen nachgeahmt wird. Im oberen Kreuzgang finden wir nur eine Säule, was den Eindruck grösseren Alters macht.

Die Gewölbe der Basilika, die durch ein Erdbeben im Jahre 1428 zerstört worden waren, wurden durch Kreuzrippengewölbe, die durch Schlusssteine miteinander verbunden waren, ersetzt. Die Krypta verschwand und das Innere wurde durch einen Altaraufbau, der die Zentralapsis zum Verschwinden brachte, verändert. Dringend nötige Reparaturen, die das Bauwerk um 1830 benötigte, zwangen dazu den Kirchenraum auf drei Schiffe zu beschränken, indem man die trennenden Stützen zwischen den Seitenschiffen entfernte. Der Brand vom 9. August 1835, gefolgt von der Plünderung, die dem tausendjährigen Kloster ein Ende machte, liess das berühmte, nun verlassene Gebäude bald ein Opfer der Witterungseinflüsse werden. Es blieb nur ein Haufen von Ruinen. Die 1885 begonnene Restauration,

die von den besten Beispielen romanischer Architektur inspiriert war und mit solcher Strenge durchgeführt wurde, dass sie keine Rücksicht nahm auf die zu verschiedenen Epochen hinzugefügten Elemente, hatte als Resultat, dass 1893 die Basilika, der doppelte Kreuzgang und das herrliche Portal wieder eingeweiht werden konnten.

Die Bedeutung von Ripoll erklärt sich aus dem ausserordentlichen Einfluss, den es seit seinen Anfängen als Kulturzentrum hatte. Hier trafen sich die Einflüsse des christlichen Westgotenreiches mit denjenigen der karolingischen Renaissance und jenen der arabischen Schulen, die vergessene griechische Kultur ausgegraben hatte. Die Klosterbibliothek, die zu Anfang des 11. Jahrhunderts die ausserordentliche Zahl von 246 Handschriften aufwies, umfasste infolge ihres reichen Inhaltes die verschiedensten Disziplinen des Wissens. Denn ausser den liturgischen und monastischen Büchern besass sie noch Werke über Grammatik, Rethorik, Philosophie, Rechtswissenschaft, Geschichte und Naturwissenschaften, die von Autoren geschrieben waren, die auf das mittelalterliche Denken den grössten Einfluss ausübten. Die kulturellen Beziehungen mit anderen Klöstern begünstigten die Vermehrung der Bücher, die auch in der Schreibstube des Klosters kopiert wurden, eine Tätigkeit die zur Regierungszeit des Abtes Oliba ihren Höhepunkt erreichte.

Der Einfluss dieser wissenschaftlichen Regsamkeit auf die Kunst lässt sich heute nur noch in den zwei Bibelexemplaren verfolgen, die zu Anfang des 11. Jahrhunderts mit reichem Bilderschmuck die Schreibstube des Klosters verliessen. Die eine Bibel befindet sich in der Vatikanischen Bibliothek und wurde irrtümlicherweise Farfa zugeschrieben, die andere, aus dem Kloster von Roda stammend, ist in der Nationalbibliothek zu Paris aufbewahrt.

Das künstlerisch beste Werk von Ripoll ist das berühmte Portal der Basilika. Entworfen nach Art eines Triumphbogens der vollständig mit Reliefs bedeckt ist, entwickelt er sich in sieben parallelen Zonen, in sieben immer kleiner werdenden Bögen, rings um die Türöffnung herum. In seiner Struktur umfasst er einen Sockel, auf den sich die Basis jeder Seite aufstützt. Sie ist umrahmt von leichten Säulen, die durch ein Kranzgesims verbunden sind. Der Mittelteil schliesst auf jedem Ende mit einer Säule unter Kranzgesims ab, das ihrerseits das grosse, obere Fries in der ganzen Länge des oberen Teiles stützt. Alle Elemente sind reichlich behauen, mit Schling- und Blattornamenten, wo es auch von Tierdarstellungen wimmelt.

Die Türschräge ist durch Archivolten hervorgehoben. In der Mitte der zweiten Arkade sehen wir das Agnus Dei mit zwei anbetenden Engeln. Die dritte Arkade hat als Träger die Statuen der Apostel Petrus und Paulus. Die Einfassungen ihrer Oberfläche bieten uns Szenen aus dem Leben und dem Tod dieser Heiligen. Die sechste Arkade enthält fünf Szenen aus der Geschichte des Jonas, denen fünf Szenen aus der Geschichte des Daniel Gegengewicht halten. Die siebente Arkade, die die Türe selber umrahmt, zeigt in der Mitte den Herrn auf einem Thron sitzend und von zwei Engeln beweihräuchert. In der Mitte beziehen sich die Szenen auf das Leben von Kain und Abel. Auf den seitlichen Pfeilern dieser Arkade sind die Monate des Jahres durch die entsprechenden Monatsarbeiten dargestellt.

Auf dem oberen Fries, der die Vorderseite krönt, besitzt die Darstellung der apokalyptischen Schau den Vorrang, mit den vierundzwanzig Aeltesten mit Kronen, die mit ihren Zithern und Schalen den Allmächtigen preisen, der auf dem Throne der Majestät sitzt und von zwei Engeln angebetet wird. Auch die Evangelistensymbole fehlen nicht um ihn herum. Stier und Löwe sind in die untere Zone versetzt, wo ein Zug von Seligen, bestehend aus Aposteln und sieben Jungfrauen sowie St. Johann Baptist und Isaias auf den beiden Enden, sich entwickelt. Auf den zwei unteren Zonen jedes Mittelteils sehen wir Zyklen aus dem Alten Testament, bei denen sich der Bildhauer von den Miniaturen der schon erwähnten Bibel von Ripoll inspirieren liess. Rechts, auf der höheren Fläche findet sich der Durchgang durch das Rote Meer, die Ankündigung des göttlichen Beistandes an die um Moses und Aaron versammelten Israeliten in Gegenwart der Feuersäule und des Engels. Der Wachtel- und der Mannaregen und das Wunder des Wassers aus dem Felsen des Horeb. In der unteren Fläche stützen Aaron und Hur die Arme des Moses während der Schlacht, die Josue bei Rafidim gegen die Amalekiter schlägt. Den Kampf sieht man auf der Seite, wo Soldaten mit Reitern ins Handgemenge kommen.

Die Basis ist durch ein Portikus verlängert, der das Bild des Herrn enthält, der dem Moses das Gesetz übergibt. Moses ist begleitet von Aaron, ausserdem von einem Bischof und einem Krieger. Auf der anderen Seite in der entsprechenden Zone, ebenfalls unter einem Portikus finden wir den König David inmitten von vier Musikanten mir verschiedenen Musikinstrumenten. Diese Darstellung eröffnet die Serie aus den Königsbüchern : Uebertragung der Bundeslade nach Jerusalem, Episode des Oza, Tanz des Königs David in Gegenwart der Michol, dazu Musikanten, die die sieben Chöre versinnbilden, die der Bundeslade vorausgingen. Darauf kommen folgende Szenen, die ebenfalls von den Miniaturen der Bibel kopiert sind : Die Stadt Jerusalem von der Pest verheert, der Prophet Gad gibt David den Befehl die Tenne des Areuna zu erwerben, um dort dem Herrn einen Altar zu bauen. In der oberen Zone bittet Bethsabee um den Thron für ihren Sohn Salomon, dieser bittet Gott um Weisheit. Gott zeigt sich voll Majestät in der mandelförmigen Aureole zwischen zwei Engeln. Auf der Innenseite des seitlichen Rahmens sehen wir schliesslich noch die Entrückung des Elias. Im unteren Teil der Basis finden sich die vorapokalyptischen Visionen des Daniel dargestellt. Die erste, rechts, die Bezug auf die vier Tiere. Christus erhält den Thron, wenn die Verworfenen gerichtet sind. Auf den Medaillons des Sockels die Qualen der Verdammten. Links findet sich die zweite Vision über den Kampf

zwischen Widder und Bock, mit dem Engel in Menschengestalt, der die Form des Antichrist sehen lässt.

Der ordnende Rythmus der Relief dieses Ensemble zeigt nicht nur eine enge Verbindung der Bedeutung des doppelten Reiches Christi, des messianischen und des geistigen, vor der ewigen Schau Gottes, wie Daniel sie angekündet und die Apokalypse vervollständigt hat, sondern auch die Auffassung, dass die Rückeroberung durch den letzten Grafen von Barcelona 1149 und die Besiegung der Sarazenen im Kreuzzug das messianische Reich fördere.

Mit diesem bezeichnenden Datum stimmt das plastische Werk in seinen charakteristischen Details überein. Sie zeugen von einem Meister, oder einer gleichgesinnten Gruppe, die Wert auf eine bewegte Plastik legen, ohne sich durch das volle Relief und eine sorgsame Ausführung der Formen auch unter den Falten der Gewänder erschrecken zu lassen.

Tafel der Abbildungen

287

CE VOLUME
DOUZIÈME DE LA COLLECTION
" la nuit des temps "

CONSTITUE
LE NUMÉRO SPÉCIAL DE NOËL POUR
L'ANNÉE DE GRACE 1960 DE LA REVUE
D'ART TRIMESTRIELLE " ZODIAQUE ",
CAHIERS DE L'ATELIER DU CŒUR-
MEURTRY, ÉDITÉE A L'ABBAYE SAINTE-
MARIE DE LA PIERRE-QUI-VIRE (YONNE)

LES PHOTOS
SONT DE JEAN DIEUZAIDE - ZODIAQUE
A L'EXCEPTION DE LA PLANCHE 28 DE
CASSÉRRES, COMMUNIQUÉE PAR MGR
JUNYENT, ET DES PLANCHES 92 ET 95 DE
RIPOLL, DUES A LA BIBLIOTHÈQUE
VATICANE.

PLANS, CARTES,
ONT ÉTÉ RÉALISÉS, D'APRÈS LES
MODÈLES TRANSMIS PAR MGR JUNYENT
ET LA CONSERVATION DES MONUMENTS
HISTORIQUES DE BARCELONE, PAR LES
SOINS DE LILIANE PILETTE.

IMPRESSION
DU TEXTE, DES PLANCHES COULEURS
(CLICHÉS VICTOR - MICHEL) ET DE LA
JAQUETTE PAR LES PRESSES MONASTIQUES
LA PIERRE-QUI-VIRE (YONNE). PLANCHES
HÉLIOS PAR LES ÉTABLISSEMENTS BRAUN
A MULHOUSE-DORNACH (HAUT-RHIN).

RELIURE
DE J. FAZAN, TROYES. MAQUETTE DE
L'ATELIER DU CŒUR-MEURTRY, ATELIER
MONASTIQUE DE L'ABBAYE SAINTE-MARIE
DE LA PIERRE-QUI-VIRE (YONNE).

CUM PERMISSU SUPERIORUM

Directeur-Gérant : José Surchamp

Dépôt légal : 1011-4-68

BOURGOGNE
ROMANE

AUVERGNE
ROMANE

VAL DE LOIRE
ROMAN

L'ART
GAULOIS

POITOU
ROMAN

TOURAINE
ROMANE

ROUSSILLON
ROMAN

SUISSE
ROMANE

ANJOU
ROMAN

QUERCY
ROMAN

LIMOUSIN
ROMAN

CATALOGNE
ROMANE 1

la nuit des temps 12